人類の敵

共産主義勢力から自由を守る方法

掛谷 英紀
Kakeya Hideki

集広舎

はじめに

この本の大きなテーマは二つある。一つは左翼、もう一つは中国である。もちろん、この両者は密接にリンクしている。

誰もが知っている通り、中国は共産党による一党独裁国家である。左翼と共産党は必ずしもイコールでないとの反論はあるだろうが、左翼の定義については本論に譲ろう。

私が左翼について本格的に調べ始めたのは、大学に赴任した直後の十七、八年前である。当時から、大学の文系では科学技術社会論（STS）などで反科学の機運が高まっていた。その少し前には、アラン・ソーカルが著書『知の欺瞞《ぎまん》』で、左傾化したポストモダン哲学者による科学バッシングに反撃したことが話題になっていた。それでも、大学の左傾化の勢いは弱まる気配はなく、自然科学の現場にも悪影響が及びつつあった。

実験や観察の積み重ねによって得られた科学の法則は全て社会的構築であり、自分の直感がそれに優先するという左翼学者の態度は、われわれ科学者にとっては到底受け入れられるものではない。

私自身、研究倫理や技術者倫理の教育にも携《たずさ》わっており、同じ大学内でそれと相容れない教育がされるのを無視するわけにはいかなかった。そうした事情があり、その論点を整理するために書いたのが、2005年の拙著『学問とは何か··専門家・メディア・科学技術の倫理』である。

それから15年経つが、文系学問の左傾化とその理系学問への悪影響はますます大きくなっている。これは日本に限らず、世界共通の現象であり、これを食い止めるために、再度何らかの発信をせねばならないと思っていた。

一方、私が中国の危険について最初に書いたのは、大学院生のときの懸賞論文であるから、今から二十数年前のことである。天安門事件で人民解放軍が学生や市民を銃撃し、戦車で轢き殺してから10年経っていなかった。

チベット問題もまだ世界的な関心事であり、中国共産党の恐ろしさを認識していた人は私だけではなかったはずだ。

ところが、世界は間違った方向に進み始めた。

世界の政治家たちは、中国を国際社会の中に取り込めば、中国は国際ルールに従うようになると考えたのである。中には、中国が豊かになれば民主化するという甘い夢を語る知識人もいた。

私の考えは全く違った。自国民を戦車で轢《ひ》き殺し、それを全く反省もせず隠蔽《いんぺい》する独裁国家が、穏健な国になるはずがない。中国が豊かになれば、必ず軍事大国化し、隣国である日本は侵略の危機にさらされると私は信じて疑わなかった。

２００１年、中国はＷＴＯに加盟した。その後、経済のグローバル化を追い風に、安い賃金を武器にして、中国はその経済を急拡大させ、世界第二位の経済大国に上り詰めた。しかし、中国は国際ルールを無視し続け、民主化をすることもなかった。

香港問題に象徴されるように、逆に民主化を弾圧し、社会信用システムの導入により、より強固な監視社会を築きつつある。そして、私の予想通り、経済力を急速な軍拡に使い始めた。

2000年代後半に、私は時々学生に、「君たちは、自分が生きているうちに中国の侵略を経験することになるかもしれないよ」と語ったことがある。

あるとき、それを聞いた一人の学生が「いつ攻めてくるんですか！」と逆切れしたことがあった。それから間もなくして、尖閣沖の中国漁船衝突事件（2010年）が起きた。これを境に、彼は全く反論しなくなった。

2009年からの民主党政権の3年半で、日本は著《いちじる》しく弱体化した。超円高により国内の産業は空洞化し、工場は中国や韓国に移転した。

その後、安倍政権になって対中政策が転換するかと思われたが、党内の親中派や連立を組む公明党に押され、結局何も変わらなかった。

当時のオバマ大統領が、中国の軍拡を放置したことも問題を深刻化させた。

南シナ海は中国海軍の手に落ちた。尖閣、そして沖縄が落ちるのも時間の問題と思われた。私は近い将来、日本が中国の自治区あるいは傀儡《かいらい》国家になるのは避けられないと正直諦《あきら》めていた。中国は言論の自由が無い国である。

そこに呑《の》み込まれることは、日本における学問の死を意味する。

ところが、2016年に奇跡が起きた。

トランプ大統領の当選である。親中派のヒラリー・クリントンが当選していたら、本当に日本は終わっていただろう。ところが、トランプ大統領の登場で、状況は一変した。

米国が中国との対決姿勢を明確に打ち出したことにより、日本の生き残る道は開けた。

もちろん、その後も日本国内は全く予断を許さない状況が続いた。

北海道、沖縄、さらには政官財学の中枢部に、中国の工作は広く深く浸透していた。

さらに、再び親中派の米大統領が誕生すれば、２０１６年の奇跡は水泡に帰す。その状況下で発生したのが新型コロナウイルスのパンデミックである。

これにより、米国はもとより、世界全体が中国を警戒するようになった。日本の生き残りにとって、これは大きなプラスになる。

とはいえ、予断は許さない。

生き残りをかけた戦いは、これからが正念場である。

日本が中国に呑み込まれるか否かは、日本の言論の自由、思想・良心の自由、信教の自由、学問の自由を含め、あらゆる自由が生き残るか否かを決定づけるものである。さらに、世界における左翼との戦いは、人類の自由が懸《か》かった戦いでもある。

残念ながら、今の日本人には、左翼や中国の恐ろしい正体を知らない人が多い。さらに、知っていてもどう戦えばいいか分からない人も多い。そういう人に敵の正体を解き明かし、彼らとの戦い方を助言することが本書の目的である。

目次

第1章

左翼を理解する

共産主義者は、これまでのいっさいの社会秩序を強力的に転覆することによってのみ自己の目的が達成されることを公然と宣言する。支配階級よ、共産主義革命のまえにおののくがいい。プロレタリアは、革命においてくさりのほか失うべきものをもたない。かれらが獲得するものは世界である。

万国のプロレタリア団結せよ！

マルクス　エンゲルス『共産党宣言』[1]

1·1 なぜ人は共産主義に騙《だま》され続けるのか

なぜ人は共産主義に騙され続けるのか。

私が共産主義の失敗を予見したのは小学2年生のときである。担任の先生が産休に入り、自習の時間が多くあった。私は与えられた課題に黙々と取り組んでいたが、普通の小学2年生が自習を課せられて、黙って勉強するはずがない。

周りの生徒はみんな大騒ぎだったので、隣のクラスの先生が注意に来た。結局、私を含めクラスの生徒全員が罰を受けることになった。

「正直で頭のいい人は左派にはなれない」

私はそのとき、共産主義は絶対うまくいかないと確信した。

私が小学2年生だった1978年当時、ソ連はまだ大国として健在で、共産主義は素晴らしいと考える人が多くいた。でも、私は彼らを信じなくなった。真面目にやってもやらなくても、みんな同じように怒られるなら、誰も真面目にやらない。結果の平等は絶対うまくいかない。そんな単純なことをなぜ大人は分からないのだろう。とても不思議だった。

その11年後、ベルリンの壁は崩壊し、さらにその2年後にはソ連も崩壊した。

ソ連が崩壊して以降も、数は少なくなったが共産主義を信奉し続ける人は存在し続けた。それがまた不思議だった。左翼はウソつきなのか、それとも単に学習能力がないのかという点が当時の関心事だった。

「正直で頭のいい人は左派にはなれない」というレイモン・アロンの言葉[2]を知ったのはその後のことである。

欧米の左翼と日本の左翼の共通点

左翼とは何か。

人はなぜ左翼になるのか。私にとって常に頭の片隅に存在し続けた謎であった。しかし、私の専門は工学であって人文社会科学ではないため、この問いは仕事として取り組むべきものではなく、ずっと放置したままだった。

ところが、幸いにもここ2、3年の間に、その謎がかなり解けてきたのである。

1つのきっかけは、英語圏の政治系ユーチューバーのウォッチを始めたことである。そこで、欧米でも人々が左翼の横暴に苦しんでいる現状を知ることができた。それを通じて、欧米の左翼と日本の左翼の共通点を見出すことに成功し、左翼というものを一段高い段階に抽象化して理解することが可能となった。

もう1つのきっかけは、インターネット・SNSの隆盛により、大量の言語資源が簡単に取得できるようになったことである。

私自身の専門分野の一つに人工知能があるが、インターネット上のビッグデータを機械学習に使えるようになったため、政治問題や社会問題に関する言説を定量的に分析できる時代になった。

それにより、自らの理工系の知見を左翼の分析に使えるようになったのである。

自らの属する社会や文化を憎む

ここでは、そのうち、欧米の左翼運動と日本の左翼運動の共通点から見える左翼像を紹介することにする。

左翼運動は、人権、平和、寛容、多様性など常に美辞麗句を看板に掲げる。しかし、その運動の矛先は極めて恣意《しい》的に選ばれている。

日本の場合、左翼の人権運動は北朝鮮による拉致《らち》被害者の人権を無視する。平和運動も、中国や北朝鮮の核開発や軍拡に抗議をしない。反原発運動も、中国や韓国の原発には反対しない。

これらに共通するのは、周辺諸国が日本を侵略しやすい状態を作り出す方向に運動が向いていることである。それゆえ、日本では「左翼＝反日」と理解されていることが多い。日本人の目につく左翼運動にかかわる外国人は、みな反日勢力に見えるため、外国の左翼も反日的であるとの誤解を持つ保守系日本人は多い。しかし、それは間違いである。

欧米の左翼にとっての最大の敵はキリスト教的価値観に基づく西洋文明である。であるから、イスラム教などの異文化に対するトレランス（寛容）を主張しつつ、キリスト教的価値観を弾圧する。

たとえば、米国の大学では学内のキリスト教徒のサークルを解散させるなどの動きがある。また、欧米のフェミニストは女性の権利を主張する一方で、イスラム系移民の性犯罪の被害を受けた女性に対しては口封じをする。

日本と欧米の左翼に共通する点は、いずれも自らの属する社会や文化を憎み、その破壊を意図していることである。

その憎悪の感情は、過大な自己評価ゆえに、周囲が自分を正当に評価していないと不満を持つことから生じている場合が多い。

ただし、これは全ての左翼に該当するわけではない。左翼運動は、さまざまな種類の人間の複合体である。

私は、左翼運動の構成員を次の3つに分類している（図1・1参照）。

①中核層

自らが属する社会を憎み、それを破壊することを目指す人たち。見せかけの理想を掲げて活動を興し、その活動が社会の破壊に結びつくよう巧みに制御する。良心は無いが知的レベルは高い。

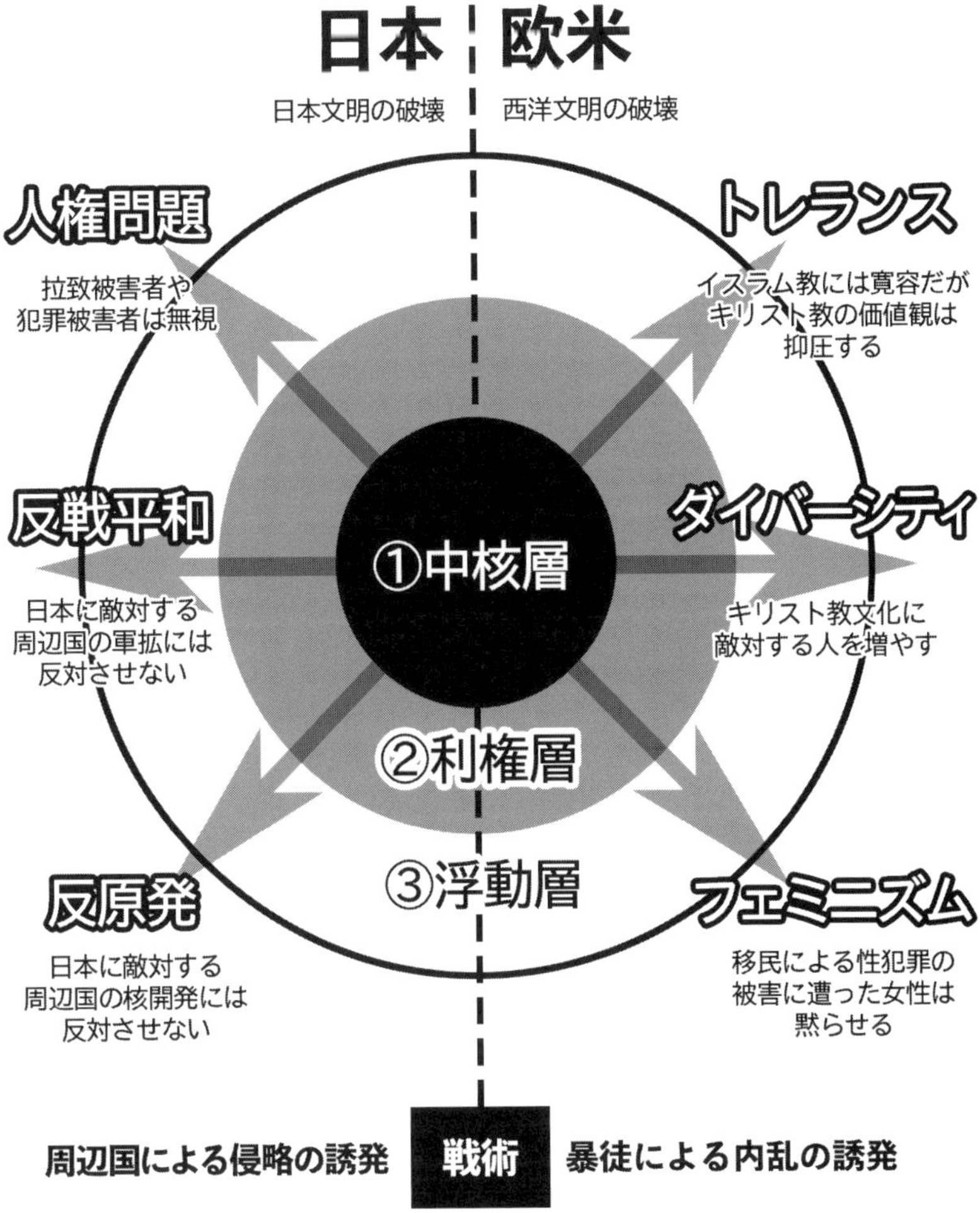

日本
欧米
日本文明の破壊
西洋文明の破壊
人権問題
拉致被害者や
犯罪被害者は無視
トレランス
イスラム教には寛容だが
キリスト教の価値観は
抑圧する
反戦平和
日本に敵対する
周辺国の軍拡には
反対させない
ダイバーシティ
キリスト教文化に
敵対する人を増やす
①中核層
②利権層
③浮動層
反原発
日本に敵対する
周辺国の核開発には
反対させない
フェミニズム
移民による性犯罪の
被害に遭った女性は
黙らせる
周辺国による侵略の誘発
戦術
暴徒による内乱の誘発

図１・１　左翼の構造

②利権層

中核層に従うことで、活動資金や仕事（テレビ出演など）を得ることが目的の人たち。

③浮動層

中核層が掲げた理想に共感する人たち。正義感に基づいて行動するが、いい人と思われたいという虚栄心があることも多い。知識を身に着けると、騙されたと気づいて活動から去る。

初代FBI長官のジョン・エドガー・フーヴァー氏は、左翼（コミンテルン）を「公然の（共産）党員」「非公然の党員（共産党の極秘活動に従事する人）」「フェロー・トラベラーズ（共産党の同伴者）」、「オポチュニスツ（機会主義者）」、「デュープス（騙されやすい人）」の5種類に分類している[3]。（この分類は、江崎道朗《みちお》氏の著書『コミンテルンの謀略と日本の敗戦』[4]にも紹介されている）

このうちの最初の３つが中核層、利権層がオポチュニスツ、浮動層がデュープスに対応する。

「正直で頭のいい人は左派にはなれない」というレイモン・アロンの言葉に対応させると、中核層と利権層は不正直で頭のいい人であり、浮動層は正直で頭の悪い人である。

その複合体が左翼というわけである。

保守派は左翼と違って単純な人が多い。

悪い言い方をすれば、主に正直で頭の悪い人たちからなる。そのため、右で述べた左翼の全貌が見えていない。左翼はみな浮動層であると勘違いして甘く見る。しかし、その認識自体が完全に左翼の術中に嵌っているのである。

左翼運動が巧《たく》みなところは、その運動において浮動層を前面に押し出すことである。中核層は基本的に表に出てこない。

浮動層は善良な庶民であるから、左翼運動を叩く人は庶民の敵だとレッテルを貼れる。

浮動層には悪意がないから、左翼運動の真の目的が破壊であるとの批判は濡れ衣に見える。彼らには知性も感じられないから、取るに足らない相手だと保守派も油断する。

頭脳を駆使する左翼運動

左翼運動の知性の高さは、その攻撃先の選定に見て取ることができる。

例えば、日本の自然保護運動を考えよう。

彼らは、ダム、堤防、防潮堤、基地建設、高速道路、リニア新幹線、地熱発電のように、日本の安全や経済にプラスになる開発行為の自然破壊は非難するが、太陽光発電、風力発電、中国の珊瑚《さんご》乱獲のように、日本にとって経済的・社会的マイナスが大きい自然破壊は問題視しない。中でも、発電に関する態度の違いは、それなりに高度な知識がないとこのような見極めはできない。

さらに左翼の頭の良さは、主力は右で述べたような攻撃先の選択をしつつ、それ以外の勢力はある程度意見を散らしている点にも見ることができる。これにより、批判されたときに傍流の人々を引き合いに出し、批判が不当なものであると反論できるように準備している。

左翼運動は、今後もその頭脳を駆使して庶民の味方を詐称し続けるであろう。現実には、彼らは庶民に選択の自由を与えない。自分の言いなりにならないものは、弱者であっても容赦なく叩きのめす。

であるから、左翼はリベラリスト（自由主義者）とは最も遠い存在である。にもかかわらず、彼らはリベラルを自称し、その称号を社会的に広く認めさせることに成功している。

左翼の欺瞞を示す最も有効な手段は、過去の共産主義国家が何をしたかを思い起こさせることである。彼らは、常に庶民（労働者）の味方であると自称したが、過去全ての事例において特権階級が庶民を虐《しいた》げる社会が生まれる結果となった。

おびただしい数の人命も奪われた。

その歴史をできるだけ多くの人に直視させることが、共産主義の悲劇を繰り返さないために最も重要なことである。

1·2 左翼のプロパガンダ戦略とは

もともと、米国は共産主義を忌《い》み嫌う国である。

そのルーツは、初期の入植者の歴史にまで遡《さかのぼ》る。

１６０７年ジェームズタウン、１６２０年プリマスに最初の入植者が到着したとき、彼らはある試みを行った。

穀物の共有倉庫を作り、そこから必要なものを取り収穫したものを戻すことにしたのである。土地も共有し共同で働いた。理想の社会主義共同体と同じである（当時はその名前では呼ばれていなかったが）。

それで何が起きたかは想像に難《かた》くないだろう。働いた人間も働かない人間も取り分が同じなら、誰も働かない。入植地の食料は尽き、多くの入植者は餓死した。

彼らはコミューンを放棄して私的所有を認めた。すると、すぐに豊作に恵まれ、それが感謝祭の起源になっている。この失敗の教訓を通じて、人間は自らの経済的成果に責任をもつべきだという考えが米国で定着した。

歴史は終わっていなかった

第二次世界大戦後は、マッカーシーによる赤狩り（Red Scare）があり、その後冷戦が終結するまで、米国はソ連をはじめとする共産主義陣営と対峙した。

しかし、米国が常に共産主義から自由だったわけではない。ヴェノナ文書[5]が明らかにしているように、第二次世界大戦の前から、米国中枢部には多くの共産主義スパイが入り込んでいた。

現在の米国の左傾化は、冷戦終結がきっかけになっている。ソ連の崩壊により、米国人は油断した。フランシス・フクヤマの著書『歴史の終わり』[6]に書かれた認識がそれを物語る。しかし、歴史は終わっていなかった。左翼は、この油断の隙を利用して、学校、メディアなどに深く浸透していった。

今、米国で20歳前後から30代半ばまでの若者は、２０００年頃に生まれたか少年期を過ごしていることから、ミレニアル世代と呼ばれている。彼らは、冷戦後の学校やメディアの左傾化による影響を強く受けて育っている。

そのため、ミレニアル世代には、バーニー・サンダースやアレクサンドリア・オカシオ・コルテスのような、民主党の中でも社会主義者と呼ばれる極端に左寄りの政治家を熱狂的に支持する人が多い。

日本では若者ほど保守政党の支持率が高いのとは正反対である。

日本は、今アメリカで起きていることを半世紀先取りしていたといえる。

ＧＨＱの内部に共産主義者の工作員が大量に入り込んでいたことは知られているが、彼らが左翼イデオロギーで染めた学校やメディアが、団塊の世代の左傾化を実現した。

米国におけるミレニアル世代の左傾化と構造は同じである。

社会的信用を悪用する

左翼は学校やメディア以外だけでなく、法曹界や研究機関にも入り込む。これも、日本に限ったことではなく、世界に共通して見られる現象である。

前節で述べた通り、左翼活動家は過大な欲求と自己評価を持つがゆえに、それを認めない社会を憎むという構図がある。

そういう人には、協調性を要求される一般の仕事は務まらない。結果として、協調性があまり必要とされず、社会的地位も高く自己承認欲求が満たされるマスコミ、大学、法曹界などに集まると考えられる。これらの職業は社会的影響力も強いので、左翼イデオロギーを広めるにも好都合である。

インターネットが発達した今でこそ、大手マスコミのジャーナリスト、学校の先生や大学教授、弁護士や裁判官を無条件で信じる人は減ったが、一昔前まではこうした職業に就く人の社会的信用は高かった。

左翼活動家はその信用を積極的に悪用してきた。左翼中核層の最大の武器は、良心の呵責がないことである。

その性質はサイコパスに通じるものがある（サイコパスについて、詳しくはマーサ・スタウト[7]やロバート・ヘア[8]などの著作を参照されたい）。

彼らには正義はあっても良心はない（なお、左翼自身は正義と良心の区別がつかないため、自分に良心がないという自覚がないことが多い）。

そのため、あらゆる行為は、独善的正義の実現という目的の手段と化す。ウソをつくことも信用を裏切ることも全く厭わない。他人を傷つけることに全く躊躇《ちゅうちょ》がないのである。

良識的な一般人は、人が平気でウソをつけるとは想像しない。左翼中核層は一般人の想定外のことができるのを武器とする。討論番組でも、左翼は議論に勝つためなら平気で口から出まかせを言う。

それで討論相手を怯《ひる》ませて議論に勝ったという印象を与える。

討論相手も、討論を見ている人も、そこまで自信をもって言っているのだからウソではないだろうと思い込んでしまう。しかし、後々発言内容に関する事実を精査してみると、全くの出鱈目《でたらめ》だったという経験を私は多くしている。

ただ、普通の人は後で事実を精査することをしない。

そのため、左翼の発したウソが正しいと後々まで信じてしまうことになる。

左翼中核層は、社会的に自分たちのウソが信じられやすいようにするための布石も打っている。それは、全ての人は本質的に同じであるという世界観の流布である。

彼らは、凶悪事件でも一貫して加害者を擁護する。犯罪者も、たまたま置かれた環境が悪かっただけで、その本質は一般人と変わらない（サイコパスのような特殊な人間は存在しない）と彼らは主張する。

こうした世界観が世の中に広がれば広がるほど、平然とつくウソが信じられやすくなるので、プロパガンダが浸透しやすい社会環境が生まれる。

不安を煽るマッチポンプ

左翼プロパガンダのもう一つの大きな武器はマッチポンプ戦略である。

左翼中核層の目的は社会の破壊であるが、それを実現するためには今の社会に対して多くの人々が不満を持つ必要がある。

だから、人々の社会に対する不満を煽って、それを政治的原動力にする。

逆に、社会の秩序が維持されつつ、人々の不満が解消するのを左翼は最も嫌う。

米国で黒人の失業率を下げたトランプ大統領が、米国の左翼にますます忌み嫌われるのはそのためである。

社会に不満の種がないときは、自分で火をつけることも厭《いと》わないのが、左翼運動の怖さである。そして、その容疑を平然と他者に振り向け、自分は不満解消のために働く正義の人であるかのように演出する。

そんなに簡単に人は騙されないと思うなら、２００９年の民主党政権誕生前のことを思い起こしてほしい。

消えた年金問題も、現場で実際に問題を起こしていたのは自治労の組合員たち（民主党の支持母体）である。民主党はそれを使って政府を攻撃し、政権交代を実現させた。

左翼に良心は無い

米国の民主党も、その戦略は酷似している。

現在、米国の左翼は不法移民も積極的に国内に受け入れよと主張している。それを実行に移せば、安い労働力の流入により国内失業率が高くなるのは目に見えているが、それで社会的不満が高まるのが彼らにとっては好都合なのである。

彼らの思い通りに事が運べば、高くなった失業率の責任は他に転嫁して、自分たちは失業者の保護政策を推進する正義の味方であるように振舞うだろう。

左翼のプロパガンダに騙されないために必要なのは、彼らがわれわれと同じ良心を備えた人間だと思わないことである。

その思い込みでできる油断の隙を彼らは突いてくる。良心の呵責《かしゃく》がない人間は、どんな手段を使うことも躊躇しないので、その攻撃力は凄《すさ》まじい。

ここで書いたことは、一部の事例を誇大に扱《あつか》った陰謀論と思う人もいるかもしれない。次節では、ビッグデータに基づく客観的なエビデンスを提示することで、そうした疑念を解消したいと思う。

1·3 ビッグデータが暴く自称リベラルの正体

1・1節で、左翼活動家はリベラリスト（自由主義者）とは最も遠い存在であるにもかかわらず、リベラルを自称し、その称号を社会的に広く認めさせせると述べた。

これまでは、それを事例ベースで裏付けてきたが、本節ではビッグデータに基づいて、より客観的なエビデンスを提示したいと思う。

ここでは便宜上、自称リベラルをリベラルと記すことにする。

2018年、米国のイェール大学から大変興味深い研究成果が報告された[9]。

Cydney Dupree と Susan T. Fiske は、過去25年間、計74回にのぼる米国大統領選挙の演説を調査し、民主党の候補の演説において、聴衆に黒人が多い場合と白人が多い場合とでは言葉遣いが異なるという分析結果を得た。

民主党の候補は、聴衆に黒人が多い場合のみ、わざと平易で温かみのある言葉を選び共感を呼び起こすという戦略が用いられていることが見出されたのである。

さらに同研究では、一般の白人被験者に対して、白人らしい名前（Emily など）の人物宛と黒人らしい名前（Lakisha など）の人物宛のメールについて、文面に使う単語を選ばせる実験も行われた。

その結果、リベラル派を自認する被験者については、黒人宛の場合、文面に平易な言葉を有意に多用する傾向があることが分かった。具体的には、白人宛の場合は“euphoric, melancholy”のような知性を感じさせる単語を多く用いるのに対し、黒人宛の場合は“happy, sad”のような易しい単語をより多く用いるといった使い分けがされていた。

一方、保守派を自認する被験者については、相手によって使用する言葉に違いはなかった。

この結果は、普段「差別反対」を主張しているリベラル派の言葉遣いの中に、むしろ黒人をバカにするような差別意識が見出されることを示している。

筆者の研究グループも、この種の言葉に着目した研究を10年以上前から行っている。その一つに、新聞の社説を読ませて、それがどの新聞の社説かを言い当てる人工知能に関する研究成果（2007〜2008年）がある[10]。

1991年から2005年までの15年分の社説を機械学習した結果、読売新聞と毎日新聞の2択の場合は91・7％、読売新聞、毎日新聞、日本経済新聞の3択の場合は83・3％の正解率が得られた。

当時、機械学習に用いたのが最大エントロピー法という手法で、統計的に特定の新聞に偏《かたよ》って多く用いられる語句に注目して判定するため、各新聞に特徴的な表現を抽出することができる。

表1・1は、読売新聞と毎日新聞の2択で機械学習をしたときに得られた、それぞれの

表１・１　読売新聞、毎日新聞に特徴的に使用される名詞

A新聞

「市民」「私たち」「人々」「キム」

「金権」「庶民」「論理」「納得」

「差別」「提案」「腐敗」「賃金」

「要望」「補助」「援助」「司法」

「朝鮮民主主義人民共和国」

「労働者」「温床」「残念」「モラル」

「民意」「浄化」「周辺諸国」

「アジア」「国民」「人権」「民衆」

「闘争」「男女」「道義」「武力」

B新聞

「わが国」「国際社会」「昭和」

「体制」「阻止」「市場経済化」

「成長」「国益」「平成」「着実」

「建設的」「安定」「財源」「責任」

「効果的」「責務」「市場開放」

「無責任」「GHQ」「過去」「司令部」

「連合国軍」「官民」「社会資本」

「原子力発電所」「常識」

「極東国際軍事裁判」「憲法改正」

「独裁」「歴史」

表１・２　読売新聞、毎日新聞に特徴的に使用される末尾表現

X新聞

「…ものだ。」「…とされる。」

「…て欲しい。」「…のだろう。」

「…かも知れない。」「…えるだろう。」

「…てもいる。」「…があろう。」

「…としている。」「…と言える。」

「…と言ってよい。」

「…と言えるだろう。」

Y新聞

「…であった。」「…のである。」

「…なのである。」「…るのだ。」

「…れなければならない。」

「…たのである。」「…はない。」

新聞に特徴的な名詞である。

どちらが読売（保守系）でどちらが毎日（リベラル系）かは一目瞭然だろう。

Aが毎日新聞、Bが読売新聞である。次に、同じ機械学習をしたときに得られた、それぞれの新聞に特徴的な末尾表現を表1・2（前頁）に示す。


Xには弱気な表現、Yには断定口調、命令口調の表現が並ぶ。

このどちらが読売新聞、毎日新聞かを、これまで講演会等で学者、官僚、マスコミ関係者等の文系知識人に何度かクイズとして出したことがある。大多数の人はXが毎日新聞で、Yが読売新聞であると答えた。しかし、正解はXが読売新聞、Yが毎日新聞である。ビッグデータによる機械学習が人間の気づかない特徴を見出したというわけである。

一般に、リベラル派の方が保守派より穏健で柔らかい表現を使うと思われがちである。実際、名詞にはその印象を反映する偏りが見られる。

しかし、末尾表現を見ると、リベラル派の方が断定的、命令的な表現を用いている。

それを人間の意識に残らないように行っているのが、リベラル派の巧《たく》みさである。

好色的で猟奇的な左翼

もう一つ、筆者の研究グループの最新の研究成果を紹介する[11]。

新聞社員のようなプロではなく、一般人における保守派・リベラル派の違いを調べるため、過去15年間の年間売り上げ上位20に入った書籍のうち、保守派・リベラル派が書いた本のレビューをAmazon（amazon.co.jp）から収集した。

保守派の著者にはケント・ギルバート、曽野綾子、百田尚樹、リベラル派の著者には香山リカ、姜尚中《カンサンジュン》、上野千鶴子らが含まれる（表1・3）。

保守派の本に高評価、あるいはリベラル派の本に低評価をつけたレビュアを保守系レビュア、逆をリベラル系レビュアと定義し、彼らのAmazon上での全レビューを分析した。

その中で興味深かったのが、映画（DVD、Blu―ray）のレビューである。

保守系レビュアのみが複数レビューしており且つ彼らの平均評点が高い映画を保守派

表１・３　保守派・リベラル派を分ける基準とする書籍

保守派	リベラル派
ケント・ビルバート著『儒教に支配された中国人と韓国人の悲劇』	古賀茂明著『官僚の責任』
曽野綾子著『人間の分際』	姜尚中著『母―オモニー』
百田尚樹著『大放言』	香山リカ著『しがみつかない生き方』
室谷克実著『呆韓論』	姜尚中著『悩む力』
曽野綾子著『人間にとって成熟とは何か』	上野千鶴子著『おひとりさまの老後』
曽野綾子著『老いの才覚』	
藤原正彦著『国家の品格』	
安倍晋三著『美しい国』	

表１・４　保守派・リベラル派が好むビデオ作品

保守派	リベラル派
『いま、会いにゆきます』	『22 年目の告白 私が殺人犯です』
『おくりびと』	『エロマンガ先生 3』
『ALWAYS 続・三丁目の夕日』	『ベルリン・天使の詩』
『俺は、君のためにこそ死ににいく』	『クライマーズ・ハイ』
『セッション』	『L.A. コンフィデンシャル』
『モアナと伝説の海』	『好色 元禄（秘）物語』
『県庁おもてなし課』	『ちはやふる上の句』
『硫黄島からの手紙』	『エロマンガ先生 4』
『紅の豚』	『白い肌の異常な夜』
『結婚できない男』	『サヨナラ COLOR』
『Mr. & Mrs. スミス』	『歩いても 歩いても』
『ヒトラー最期の 12 日間』	『太陽を盗んだ男』
『アウトレイジ最終章』	『エロマンガ先生 6』
『アイアンクロス ヒトラー親衛隊《SS》装甲師団』	『相川結　結歩道 ～美ら風 memories～』
『シン・ゴジラ』	『エロマンガ先生 5』
『サウンド・オブ・ミュージック』	『危険な情事』
『かもめ食堂』	
『おやすみさないを言いたくて』	
『下妻物語』	
『A2』	
『15 時 17 分、パリ行き』	
『007 ロシアより愛を込めて』	
『007 リビング・デイライツ』	

が好む映画、リベラル系レビュアのみが複数レビューしており且つ彼らの平均評点が高い映画をリベラル派が好む映画と定義し、その違いを分析した。

その結果、表1・4（前頁）に示す通り、保守派は人間ドラマを好み、リベラル派は好色的内容や猟奇《りょうき》的内容の映画を好む傾向が見出せた。

実際、それぞれのカテゴリの映画の解説文を機械学習にかけると、リベラル派が好む映画に「殺す」「誘う」「事件」などの表現が偏って多く見られることが分かった。

この結果は、これまでのコラムで紹介した事例ベースで見られるリベラル派の特徴を統計的に裏付けるものである。


一方、保守派とリベラル派が好む小説の特徴としては、保守派のユーザーは文芸作品と文学賞受賞作家の作品を好み、リベラル派はライトノベルを好む傾向が見られた。

これは単に年齢層の違いとも解釈できなくはないが、表1・3に示した通り、保守派の本に『老いの才覚』が入っている一方、リベラル派の本にも『おひとりさまの老後』が入っており、必ずしも年齢層を偏らせる要素はない。

と同時に、最近の日本の選挙における出口調査では、若年層に保守政党への投票が多く、60、70歳代ではリベラル政党への投票が多い傾向がある。

よって、この偏りの原因を年齢層の偏りに帰着させるのは誤りであろう。


作家別に見ると、池井戸潤と東野圭吾は、保守・リベラルを問わず幅広い人気を獲得していることが分かった。

昨今、保守派とリベラル派の間の分断が大きくなっているが、両者をつなぐ価値観を探るうえで、イデオロギーを問わず人気を得る文芸作品は注目に値することには意義があると思われる。

1・4 左翼エリートの選民思想

本書冒頭の1・1節で、ジョン・エドガー・フーヴァー初代FBI長官が、左翼（コミンテルン）を

- 公然の（共産）党員
- 非公然の党員（党の極秘活動に従事する人）
- フェロー・トラベラーズ（党の同伴者）
- オポチュニスツ（機会主義者）
- デュープス（騙されやすい人）

の5種類に分類していることを紹介した。

このうちの最初の3つを中核層、4つ目を利権層、5つ目を浮動層と私は定義し、中核層の活動の動機は社会に対する憎しみ、利権層の動機は金、浮動層は正義（偽善）と

虚栄心であると解説した。

本節では、中核層についてもう少し詳しく分析したい。

中核層は公然の党員、非公然の党員、フェロー・トラベラーズよりなる。

コミンテルンやコミンフォルムが消滅した今、「党員」に相当するものは無いとの反論があるかもしれない。しかし、現在も形を変えてそれは存在し続けている。

公然の党員は中国共産党や朝鮮労働党などの党員である。

非公然の党員は、中国関係なら孔子学院関係者、北朝鮮関係ならチュチェ思想派である。日本は孔子学院にまだ無警戒だが、諸外国ではそのプロパガンダ機関としての機能が問題視されており、オーストラリアや米国では次々閉鎖されるに至っている（詳しくはクライブ・ハミルトン著『目に見えぬ侵略 中国のオーストラリア支配計画』[12]やNewt Gingrich著"Trump vs. China"[13]を参照）。

チュチェ思想派については、篠原常一郎氏がその実態について広く発信しており、韓国でも注目されている（チュチェ思想派は韓国でも広く浸透している）。

高学歴エリート左翼

このように、日本を含む多くの国で、非公然の党員による工作活動は今でも活発に行われているが、その人員の絶対数は多くない。

中核層で多数を占めるのは、フェロー・トラベラーズである。では、彼らはどういう人たちか。現在、フェロー・トラベラーズを構成する主要メンバーは高学歴の新興エリート層である。彼らは大きな資産のある家庭の出身ではないが、高学歴により高収入の職を得ており、経済的には豊かである。

そのため、フランスにはシャンパン社会主義者、米国にはリムジンリベラルという言葉もある。（日本ではこれに相当する言葉が無かったが、経済評論家の上念司氏は「世田谷自然左翼」の呼称を提案している）

彼らのほとんどは、学校や職場環境の影響で、グローバリストの考えを持つ。

吉松崇著『労働者の味方をやめた世界の左派政党』[14]では、政治の対立軸をグローバリストとネイティビスト、所得再分配に熱心・冷淡（いわゆる左派と右派）の2軸に分け、既存政党が右も左もグローバリストのエリートが主導するようになった結果、国内の労働者層の味方がいなくなったと分析している。

その空白を埋めるように登場したのが、米国のトランプ、英国のファラージ、フランスのルペンというわけである。

実際、トランプの政策は底辺の労働者に大きく利するものとなっており、黒人の失業率は過去最低を記録している。表には出さないが、左翼エリートがトランプを憎む最大の理由はここにある。彼らは労働者階級に良い思いをさせたくないのである。

高学歴者の多くは、本音の部分で労働者階級を馬鹿にしている。彼らは低学歴者に対する差別意識を大なり小なり持っている。そのことは、ネットの匿名言論空間を観察すればよく分かるだろう。私自身も学歴エリートの一人なので、そうした空気を肌身で感じてきた。

受験戦争は、勉強ができるか否《いな》かが人間の価値を決めると錯覚させる魔力を持つ。私自身、そこから抜け出せたのは30歳を過ぎた頃だった。現実には、50歳を過ぎてもそこから抜け出せていない人は多くいる。

左翼エリートと新自由主義者

左翼エリートは、しばしば新自由主義者を批判する。

しかし、実はこの両者は高学歴エリートであり、グローバリストであり、選民思想の持ち主であるという点で共通している。

両者とも、表向きには色々な理想を語るが、本音では他人を見下しており、自分さえよければ良いという発想で物事を考えている。

彼らはその高い地位により、社会的影響力のある発言権が与えられることが多いが、自国が破壊されたら外国に逃げるつもりでいるので、その発言内容は無責任なものであることが多い。

これまで、私はフェロー・トラベラーズを左翼中核層の一部と位置付けてきたが、これは修正する必要があると最近感じている。彼らの動機は社会に対する憎しみに近いものはあるが、見下しと言う方がより正確である。さらに、彼らには利権層や浮動層とも重なる部分がある。

左翼エリート層は裕福ではあるが、いわゆる成り上がりなので、金に対する執着や虚栄心も強い。このように、彼らは左翼のどの層とも共通する部分があるので、左翼運動に一体感を持たせる意味で非常に重要な役割を果たしていると見ることができる。

前節で、自称リベラルの白人たちが、実は黒人を見下していることを示すイェール大学の研究を紹介したが、最近、北米で左翼エリート層のもつ選民思想という裏の顔が暴かれる事例が相次いでいる。左翼政治家たちがブラックフェイスをした過去の写真が次々暴露されているのである。

ブラックフェイスとは白人が顔を黒く塗って黒人の格好をすることで、差別的であるとして左翼が普段厳しく糾弾している行為である。

ところが、米国ではバージニア州のノーサム知事（民主党）、カナダではトルドー首相のブラックフェイスの写真が見つかったのである。特に、トルドー首相は複数枚の写真が見つかり、そのうちの1枚は29歳のときの写真で、若気の至りとの言い訳はできないものだった。ところが、北米でもマスコミは左翼の味方なので大きな騒ぎにはならず、トルドー首相は2019年10月の総選挙で議席は減らしたものの大敗を免れた。

これが保守派の政治家だったならば、こういう結果にはならなかっただろう。

言論の自由よりも利益優先

一方、フェロー・トラベラーズの利益優先の姿勢を象徴するのが、米国のスポーツ界や映画界である。

こうした業界では、しばしばスターが自ら人権派を装う。２０１６年、ＮＦＬのキャパニック選手が警察による黒人への暴力に抗議して、試合前の国歌斉唱で起立を拒否したことが話題になった。賛否両論はあったが、左派言論人の多くはキャパニックを支持し、彼はその後ナイキの広告にも起用された。

その一方で、２０１９年10月ＮＢＡヒューストン・ロケッツのモリーＧＭが香港の民主化運動を支持するツイートをしたところ、中国の猛反発を受けて米国内は大騒ぎになり、モリーＧＭと同チームのハーデン選手が謝罪するに至った。米国のメディアではＮＢＡの中国ビジネスへの影響を懸念する声が多く取り上げられ、言論の自由を擁護したのは左派言論人ではなく保守派の政治家たちだった。

映画界でもこれと同じことが起きている。ハリウッドでは、中国の圧力でシナリオを書き換えることが常態化している。彼らは中国での興行利益のためなら、表現の自由など平気で犠牲にする。これについても、左派言論人たちは全く問題視していない。

このように、左翼エリートはお金になる人権問題には積極的だが、お金を失うリスクのある人権問題は触らない。つまり、彼らにとって人権は手段であって目的ではないのである。

こうした左翼エリートの欺瞞が次々明らかになる中、なぜ彼らは安泰でいられるのか。今後もその安定した地位を守ることができるのか。次節では、これらの論点を中心に議論を進める。

1·5 左翼選民思想への反発

前節で述べた通り、左翼エリートにとって人権は自らの善人ぶりを装うための手段でしかなく、心の底ではマイノリティや非エリートを見下している。本節は、そうした左翼エリートの欺瞞に対して、米国のマイノリティが逆襲を始めていることを紹介したい。

米国の主要テレビ局（ＦＯＸを除く）も日本と同様に左傾化しており、連日トランプ大統領批判を繰り返している。

しかし、米国の国民も徐々にテレビ局の言うことを信用しなくなっている。トランプが黒人の失業率を史上最低にまで下げたことで、彼らもメディアの欺瞞に気づき始めたのだ。２０１９年11月のエマーソンによる世論調査では、黒人の有権者におけるトランプ大統領の支持率が34・５％に上昇している。

２０１６年の大統領選において、黒人でトランプに投票した人は８％しかいなかったことを考えると、この数字は驚異的である。

では、これまで黒人の失業率が高かったにもかかわらず、なぜ黒人は民主党に投票し続けてきたのか。黒人票が民主党に集まるようになったのはジョン・Ｆ・ケネディ大統領が公民権法を進めたのがきっかけである。しかし、その後の民主党政権の政策は、必ずしも黒人を幸せにするものではなかった。

家庭を崩壊させた民主党

このことを論理的に指摘しているのがラリー・エルダー（Larry Elder）である。彼は１９５２年生まれの黒人弁護士で、長年ラジオ番組のホストを務めた経験を持つ。民主党の政策の問題は、過剰な福祉により家庭を崩壊させたことだと彼は言う。

実際、１９６５年の段階で黒人の婚外子は25％だったが、２０１５年には73％に上昇している。なお、白人でもその間、婚外子は５％から25％に上昇している。これが貧困と犯罪を再生産させる原因だと彼は指摘する。オバマ前大統領も演説で引用している通り、父のいない子供は貧困に陥り犯罪に走る確率が５倍、学校で落第する確率が９倍、刑務所に入る確率が20倍高いというデータがある。

では、なぜ離婚が増えたのか。その背景にリンドン・ジョンソン大統領（民主党）が１９６５年に始めた「貧困との戦い」プログラムがある。

これにより、シングルマザーが政府から手厚い支援が受けられるようになり、男性が家庭に対する責任を安易に放棄するようになったのだ。ラリー・エルダーは、これを「女性が政府と結婚する」ようになったと表現する。

実際、夫が失業したとき、公的支援を受けるためにソーシャルワーカーから離婚を勧められたというエピソードは、今も米国人のユーチューブ動画で時々紹介されているのを目にする。

一貫して人種差別的だった民主党

さらに言うと、手厚い福祉で貧困が減ったわけでもない。1949年の時点で米国の貧困率は34%だったが、1965年時点では17%にまで減っていた。

その後、福祉のために多額の予算を使ったにもかかわらず、今に至るまで貧困率は全く減っていないのである。

こうした民主党の問題を厳しく追及して、現在注目を浴びているのがキャンディス・オーウェンズ（Candace Owens）である。彼女は1989年生まれの黒人女性で、BLEXIT（Black Exit from Democratic Party, 黒人の民主党からの脱出）運動の創始者だ。

これに先立つ類似した運動として、2018年6月に元民主党支持者でゲイの美容師ブランドン・ストラカ（Brandon Straka）が、極左化した民主党と訣別しようと訴えかけて始まった #WalkAway 運動がある。

キャンディス・オーウェンズの主張は、彼女が２０１７年８月に公開した「民主党の植民地から脱出する方法（How to Escape the Democrat Plantation）」と題した動画によくまとめられている。

黒人は学校とメディアが発する偏った情報によって洗脳されており、１８６５年に黒人の肉体は奴隷制度から解放されたが、今はその精神が奴隷化されていると彼女は語る。だから、インターネットを使って自分で調べて自分で考える必要があると彼女は言う。この点は、日本も全く同じであると言えよう。

歴史的には民主党は一貫して人種差別的で、右で述べたケネディ大統領による公民権法推進は例外であることを、彼女は具体的事例を挙げながら説明する。

それを列挙してみよう。

- １９００年までに22人の黒人の共和党員が米国連邦議会議員になったが、民主党は１９３５年まで黒人の議員がいなかった（ちなみに奴隷制度を廃止したりンカーン大統領も共和党員である)。

・ホワイトハウスで最初に上映された映画は"Klansman"(白人至上主義者KKKのメンバーのこと)で、それを上映したのはウッドロー・ウィルソン大統領(民主党)であった。KKKのメンバーも、その多くは民主党員だった。

・1954年のブラウン判決で、公立学校における白人と黒人の分離教育が違憲となった。1957年にアンカーソー州リトルロック市のリトルロック・セントラル高校の人種融合教育化が決定すると、同州知事のオーヴァル・フォーバス(民主党)は州兵を学校に送って黒人学生の登校を阻止した。そこで同市の要請に応じて、アイゼンハワー大統領(共和党)が国軍を派遣して黒人学生の登校を護衛した。

・1963年に公民権運動の一環で行われたバーミングハム運動で、ブル・コナー署長(民主党)が率いるバーミングハム警察は、黒人のデモ行進に対して高圧放水と警察犬を用いて制圧した。

こうした歴史的事実は隠され、民主党が人種差別を解決したかのように米国の教科書やメディアは伝えるのである。

私が現在最も注目している黒人言論人は、ユーチューバー（2020年12月時点チャンネル登録者78万人）のアンソニー・ブライアン・ローガン（Anthony Brian Logan）である。彼も民主党支持からの転向組で、トランプ大統領を強く支持している。彼がトランプを支持している理由は、経済政策に加えて、「国境の壁」建設に象徴される不法移民の取り締まり強化である。

米国の民主党とそのシンパのメディアは、不法移民の取り締まりを人権問題や人種差別と結び付けて厳しく糾弾する。しかし、トランプを支持する人たちが取り締まりを求めているのは「不法」移民であって、合法的な移民を排斥しようとしているわけではない。にもかかわらず、たとえ黒人であってもトランプを支持する人に対しては人種差別主義者とレッテルを貼るのが米国の左翼である。

実は、不法移民が大量に押し寄せて最も被害に遭《あ》うのは、ヒスパニックや黒人の米国市民である。不法移民の単純労働者が増えれば、ヒスパニックや黒人に多い単純労働者の賃金が低下したり、失業が増えたりする。

治安も悪化して一般市民の多くが被害を受けるが、ゲーティッド・コミュニティ（壁で守られた街）に住むエリート層には全く影響はない。むしろ、単純労働の賃金低下は経営者にとっては得になる。

左翼エリートへの反旗

左翼政治家の狙いは、福祉に頼らなければ生きていけない人の数を増やし、その票で選挙に勝つことである。

だから、不法移民を大量に国内に流入させ、彼らに市民権を与えて自分たちに投票させたいのである。

しかし、そうやって左翼政治家の「精神的奴隷」にされた人たちは、福祉を受ける人の数が増えていく以上、一人当たりの取り分は増えないので、個々人の生活はいつまで経っても改善しない。

逆に、景気改善と不法移民流入阻止政策により、雇用が確保され福祉依存から脱却すれば、生活水準を向上させることができる。

そのことに気づいた元民主党支持者が、左翼エリートに反旗を翻し始めているのである。

こうした動きが今後どのくらい盛り上がるかが、米国の政治の行方を左右する鍵になると思われる。

1・6 左翼を論破する男たち

日本の保守派には、頭の切れる論客らしい論客はあまりいない。

しかし、英語圏には左翼を次々論破することで知られる論客が何人かいる。その代表格が、ジョーダン・ピーターソン（Jordan Peterson）とベン・シャピーロ（Ben Shapiro）である。

左翼を粉砕する人生訓

ジョーダン・ピーターソンは1962年生まれで、現在トロント大学の心理学の教授をしている。臨床診療の経験も豊富で、過去にはハーバード大学で教鞭をとっていたこともある。彼は、現代の左傾化した学問に対して、厳しい批判を繰り返していることで知られる。中でも、ジェンダー代名詞（男性、女性形以外の代名詞）の使用を強制する条例を批判したことは有名である。

ラディカル・フェミニズムは、日本だけでなく北米でも猛威を振るっている（むしろ、日本は欧米を追従しているに過ぎない）。

それに対するピーターソンの分析は的確である。フェミニズムは能力（competence）を尺度にした評価を全て権力（power）の問題にすり替える。そして、能力が不足しているゆえに達せられないことを全て家父長制（patriarchy）による抑圧のせいにして騒ぎ立てることで、自らの無理な要求を通す。

フェミニズムは人間を個人として尊重しておらず、男性・女性という集団の一員としてしか見ない。だから、個々人がどういう生き方をしたいかを無視して、結果の平等を押し付ける。これがピーターソンの見立てである。現代のフェミニズム思想の核心をついている分析と言えよう。

おそらく、ピーターソンのことを知っている日本の読者はほとんどいないだろう。しかし、彼がこれほど知られていない日本は、むしろ例外的な国である。

２０１８年1月に出版された彼の著書“12 Rules for Life: An antidote to chaos”（人生の12のルール：混乱を防ぐ方法）[15]は、英語圏で３００万部を超えるベストセラーになっている。

また、韓国語訳も既に出版されており、20万部を売り上げている。（日本語版も２０２０年7月に出版された。）

この彼の著書は、題名から想像される通り、様々な人生訓を語る本だが、随所に左翼批判が織り交ぜられている。

以下に、その一部（翻訳）を紹介しよう。

「我々の社会は、自らを支える文化の解体が目的であることを自覚し公言している組織や教育者に対してなぜ公的資金を投じるのか、私には理解できない。」

「極左活動家が大学の授業を偽装して、政治活動のために国から資金援助を受けているのは明らかだが、もし極右活動家がこれと同じことをしたら、北米中の進歩主義者たちは何も聞こえなくなるぐらい大騒ぎするだろう。」

ピーターソンの論客としての能力が最も際立ったのは、この著書の出版後、英国のチャンネル４に出演したときである。

司会のキャシー・ニューマンは左翼思想の持ち主で、番組の冒頭からピーターソンに敵意むき出しの質問を続けていた。その流れで、ニューマンは「なぜ、あなたの自由な言論の権利は、トランスジェンダーが気分を害されない権利に勝《まさ》るのか」と問い詰めた。

これに対し、ピーターソンは次のように切り返した。

「思考するためには相手の気分を害するリスクを冒《おか》さなければならないからだ。あなただって真理の追究のために、今ここで私の気分を害するリスクを進んで冒しているだろう。なぜ、あなたにその権利があるのか。私はとても不快だったけれども。でも、それがあなたの仕事だし、あなたのやるべきことだ。あなたは私の気分を害するリスクを冒して、言論の自由を行使している。それで問題ない。私に構わずどんどんやればいい。」

絶句して暫《しばら》く口がきけない状態に陥《おちい》ったニューマンに対し、ピーターソンは「一本取ったね」と一言。

ニューマンも負けを認めざるを得なかった。

大統領有力候補

もう一人の論客はベン・シャピーロである。

彼は1984年生まれで、16歳でUCLAに入学、20歳でハーバード・ロースクールに入学した天才である。

弁護士資格も有しているが、17歳からコラムニストとして活動しており、現在はデイリー・ワイヤーというインターネット・メディアを立ち上げ、自ら「ベン・シャピーロ・ショー」のホストを務めている。敬虔なユダヤ教徒で、常にヤームルカ（皿状の帽子）を着用していることでも知られる。

彼のモットーは「Facts don't care about your feelings」（感情で事実は変えられない）である。左翼運動は、自分の感情が全てで、気に入らない事実は捻じ曲げたり、意図的に無視したりする。彼はそういう左翼の姿勢を厳しく批判する論客の一人である。

ベン・シャピーロは米国全土で講演活動もしているが、日本と同じように米国でも保守系論客の講演を左翼活動家が妨害することが常態化している。そのため、講演が中止になる、あるいは厳戒体制下での講演になることも少なくない。

2018年10月、厳しい警備の中、南カリフォルニア大学で行われた彼の講演内容は興味深い。

彼は権利を「negative right」(否定の権利)と「positive right」(肯定の権利)に分類する。そして、前者は政府に干渉されず自由に生きる権利、後者は他人を自分のために奉仕させる権利と定義する。米国憲法が保障している権利は前者、左翼が求めるものは後者であると彼は整理する。

彼は、講演の大半の時間を質疑応答に充《あ》てる。質問の順番は反対意見を優先させる。そこで、多くの左翼がこれまでシャピーロに論戦を挑んでいるが、彼はそれをことごとく論破してみせている。

「Ben Shapiro destroys snowflake」(ベン・シャピーロが雑魚を粉砕)で動画検索をすると、そのシーンが多数見つかるので、英語ができる人は是非観てほしい。

そうした論客ぶりから、彼は米国保守層の若者に絶大な人気を誇っており、2019

年1月にBetOnlineが発表した2020年の大統領戦勝者のオッズにおいて、共和党の中ではトランプ大統領、ペンス副大統領に次ぐ3番手につけた。

2024年の大統領選の有力候補になる可能性もある。要注目の人物である。

1·7 左翼を論破する方法

ベン・シャピーロはこれまで何冊かの本を書いているが、そのうちの1つに「How to Debate Leftists and Destroy Them: 11 Rules for Winning the Argument」（左翼を論破する方法：議論に勝つ11のルール）[16]がある。

キンドル（Amazon Kindle）で出版された22ページの短い本であるが、そこで書かれていることは日本の左翼と議論するときにも参考になるものが多い。本節では同著に書かれた内容を抜粋して紹介することにする。

最初に、この本に書かれた11のルールをリストアップしよう。

① 戦争の気持ちで向かっていけ

②先制攻撃を仕掛けよ
③相手にレッテルを貼れ
④自分に有利なように議題設定せよ
⑤議論の矛盾点を指摘せよ
⑥質問に答えるように強要せよ
⑦はぐらかされないようせよ
⑧時には自分の味方も切り捨てよ
⑨知らないことは素直に認めよ
⑩無意味な勝利に浸らせてやれ
⑪見た目を大事にせよ

過激な項目が並ぶが、彼はこのルールを使う前提条件を設けている。

まず、議論を始める前に、そもそも左翼と議論をする必要があるのかを考えろとシャピーロは言う。議論をすべき場合として、彼は次の3つを挙げる。

1つ目は、それが義務の場合。

2つ目は、相手が議論の通じるまともな左翼の場合。

3つ目は、観客がいる場合である。

世の中には何を言われても絶対意見を変えない人間がいる。本来、そういう人とは議論するのは時間の無駄である。

しかし、観客がいる場合は、その相手を公衆の面前で打ち負かすことに意味があるとシャピーロは言う。右に挙げた11のルールは、3つ目の観客がいる議論における戦術という位置づけである。

左翼の真似をせよ

ルールの①から④は、いずれも左翼の真似をせよという助言である。

良識的な人は、これらの助言に従うことを大いに躊躇するだろう。

しかし、シャピーロは戦わねばならないという。その根拠に、２０１２年にバラク・オバマとミット・ロムニーの間で戦われた大統領選挙を挙げる。

当時、オバマの政策はうまくいっておらず、一方のロムニーは魅力的な候補者だったので、普通に戦えばロムニーが勝てたとシャピーロは言う。にもかかわらず、なぜ負けたのか。ロムニーは、オバマはいい人だが政治家として能力に欠けると主張した。一方、オバマ側はロムニーの人格攻撃を徹底的に行った。そして、その多くは根拠のない言いがかりだった。

そもそも、人格を客観的に比較すれば、ロムニーの方がオバマよりも優れていたとシャピーロは言う。それは、両者の選挙の戦い方にも見てとれる。逆にそれが仇になったというわけである。

選挙においては、人々は政策にはそれほど興味はない。彼らの関心は専ら候補者の人格に向けられる。だから、政策論争より人格攻撃の方が票に直結する。

左翼陣営はそれを理解しているからこそ、あらゆる人格攻撃を仕掛けてくる。相手がどんな汚い手でも使ってくる以上、同じぐらい汚い手を使わないと勝てないというのがシャピーロの見解だ。

保守派には真面目にやっていれば報われると考える馬鹿正直で単純な人が少なくない。しかし、現実はそれほど甘くない。だから、戦略的に動く必要がある。米国でも大学は左翼教員の巣窟となっているが、シャピーロは学生時代、答案用紙の氏名欄に学籍番号だけを記入して個人を特定されないようにし、共産主義者好みの答案を書くようにしていたそうだ。

シャピーロがこの本を書いたのは2014年だが、2年後の大統領選では共和党のドナルド・トランプが当選した。シャピーロは、トランプには是々非々の姿勢だが、左翼（民主党）が執拗な人格攻撃を仕掛けてくる以上、ロムニーのような良識的な保守派ではなく、トランプのようにそれに対抗できる口汚さのある人間でなければ大統領選に勝てない時代になったと後に分析している。

弱い味方は切り捨てよ

ルール⑥「質問に答えるように強要せよ」と⑦「はぐらかされないようせよ」は、左翼特有の戦術に嵌らないようにするための助言である。左翼は議論の勝敗だけに関心があるので、負けそうになると何とかはぐらかして負けがはっきりしないようにする。

それに惑わされずに、証拠を提示しながら相手を追い詰めるべきだとシャピーロは語る。

ルール⑧「時には自分の味方も切り捨てよ」の意図は分りにくいかもしれない。左翼は、保守派の中で攻撃しやすい人を攻撃してくる。弱いところを狙うのは戦いの常套手段である。そのとき、保守派は義理堅い人が多いので、味方を擁護しようとする。それで足をすくわれるのが保守派の弱点である。

だから、たとえ味方であっても、その人に瑕疵がある場合は切り捨てて、自分が討論に勝つことに集中せよというのがシャピーロの助言である。

勝敗は観客が決める

ルール⑩「無意味な勝利に浸らせてやれ」も解説が必要だろう。

これは、上のルール⑥〜⑧と密接に関連する。

左翼は負けるのが嫌いである。だから、本人は勝った気になっているが、観客にはそう見えない状態を作ればよい。観客の前での討論は、観客がどう思ったかで本当の勝敗は決まる。

たとえば、共和党は酷いと攻撃されれば、民主党も共和党もどちらも酷いと認めればよい。それであなたが失うものはない。逆に相手が共和党だけが悪いと言い続けると、観客にはその人の主張が極論に見えてくる。

中身で勝負しない

ルール⑪「見た目を大事にせよ」は、保守派の最大の弱点を指摘したものである。右でも述べた通り、人々は政策には興味がない。興味の対象は人格であり、さらには見た目である。それが如実に表れたのが、ケネディとニクソンの間で戦われた１９６０年の大統領選、さらにオバマとマケインの間で戦われた２００８年の大統領選だとシャピーロは指摘する。

左翼は見た目が大事であることを重々承知しているので、あらゆる手段を駆使して見た目の好印象を演出する。オバマが大統領選の演説でテレプロンプターを使ったのはその代表例である。一方、保守派は議論の中身で勝負しようとして、敗戦を重ねる。

日本の保守派は、しばしば左翼のことを「お花畑」と揶揄する。たしかに、自分が武器を放棄すれば相手は攻めてこないという左翼浮動層の信仰は幻想にすぎない。それと同様に、正しい政策を論理的に語れば人々に理解してもらえるという保守派の信仰も幻想である。逆に、左翼中核層はそれが幻想であることを昔から知っていた。

それゆえに、左翼は人間の認知バイアスを利用したプロパガンダで、数々の世論戦に勝利を収めることができたのである。

最近は、社会心理学という学問分野が発達し、人間の判断の非合理性が科学的に実証されてきている。

しかし、こうした社会心理学の学術的成果には、左翼がこれまで経験的に知っていて長年利用してきた知見の再発見に過ぎないものも多い。

社会心理学を何十年も先取りしていた左翼中核層の知性の高さは驚嘆に値する。だから、私は彼らを侮ってはいけないと繰り返し言うのである。

1・8 プロパガンダに乗せられない人間になるために

前節で、左翼中核層の巧みなプロパガンダ戦略は、社会心理学を何十年も先取りしたものだと述べた。では、そうしたプロパガンダ戦略に乗せられない人間になるにはどうすればよいか。要点をまとめると次のようになる。

①目先の利益に惑わされるな
②権威や肩書を信用するな
③自分の卑しい心と向き合い、それを乗り越えよ

以上3点について、順に解説したい。

① 目先の利益に惑わされるな

左翼中核層の代表的なプロパガンダ手法は、中国故事の朝三暮四《ちょうさんぼし》と同じである。狙公《そこう》は猿に朝に三つ、夕暮れに四つのトチの実を与えると言って猿を怒らせた後、朝に四つ、夕暮れに三つのトチの実を与えると言って猿を喜ばせた。

実は、人間もこの故事の猿と同種の判断をしがちなことが分かっている。

行動経済学には双極割引《そうきょくわりびき》理論と呼ばれる理論があり、人間は未来の価値を過剰に（指数関数的ではなく双極関数的に）割り引く傾向があることが実験的に確かめられている。

たとえば、6年後に2万円をもらえるのと9年後に3万円をもらえるのでは後者を選ぶが、今の2万円と3年後の3万円なら前者を選ぶといった例がこれに該当する。

人間は目の前の誘惑に非常に弱いのである。

左翼はこうした人間の習性を昔から熟知しており、目先の利益と引き換えに社会に長期的ダメージを与えてきた。

子ども手当、ガソリン税廃止、高速道路無料化など、目の前の利益を確約する裏で、防災インフラ、防衛力、治安、経済力などを削りにくる手法はそれを象徴する。
中国共産党が、目先の利益を餌《えさ》に日本企業を誘致して、後で身動きとれない状態に追い込む手口もこれに該当する。

人間は日々の生活が苦しくなると、どうしても目先の利益に踊らされてしまう。だから、政治が国民生活を安定させることが、人々がプロパガンダに影響されないようにする上で大事になる。過当な競争を生むグローバリズムや新自由主義は、左翼のプロパガンダが効く土壌を生むことを為政者はよく理解すべきである。

②権威や肩書を信用するな

左翼が好んで使うプロパガンダに権威主義の利用がある。普段、左翼は既存の権威をしばしば批判するが、その一方で自説を通すときは権威を持ち出して自己正当化する。

左派学者は、古典を持ち出して自説を権威づけることもある。ゆとり教育推進の根拠にジャン・ジャック・ルソーの教育論を持ち出したのはその例である。彼らは、ルソーを引用し、子どもは放っておいた方が個性豊かな人間に育つと主張した。しかし、ルソーの『エミール』[17]を読むと、彼らの主張は所謂「切り取り」で、原典の趣旨を全く反映していないことが分かる。

『エミール』の冒頭で、ルソーは育てる子どもに種々の条件をつけている。その上で、それらの条件を満たす子どもは、放っておいた方が立派に育つと言っているのである。誰もが放任教育に適していると言っているわけではない。

左派学者にとって、真理は自分の頭の中にある。だから、都合のいいデータや文献の一部をつまみ食いして、自説を権威づける。

われわれ科学者にとって、真理は外にある。だから、実験や観察を繰り返して自説の妥当性を検証する。もし、あなたが文系の学生で、健全な人文・社会科学を実践したいなら、左派学者による教育に頼らず、自分で文献を読み、データをとる習慣を身につけることをお勧めする。現実には、多くの人にとって、自分で調べるのは面倒な作業である。そのため、権威や肩書を頼って情報の真偽を判断しがちである。そこが左翼の狙い目となる。

筆者の研究グループでは、２０１６年にアマゾンのブック・レビューに基づく先見力のある人物とない人物の特徴分析という研究を行った[18]。

この研究では、評価の趨勢《すうせい》が時間経過とともに大きく転換した書籍について、転換期よりも前の時点でその書籍のレビューをしているレビュアのうち、転換後に趨勢となる評価（星の数）のレビューをしていた人を先見力がある、逆に転換後に劣勢となる評価のレビューをしていた人を先見力がないと定義した。

評価が下がる本は、後に間違いと判明することが書かれたものが多く、プロパガンダ色の強い本といえる。よって、先見力がないレビュアはプロパガンダに乗せられやすい人と言い換えることもできる。

先見力があるレビュアとないレビュアのレビューを機械学習にかけ、それぞれどのような言葉を多用する傾向にあるかを分析したところ、先見力のあるレビュアのレビューには、「作者」の「自己」満足、分かり「にくい」、「新しい」切り口といった本の内容に関する分析や、「最初」の一冊におすすめ、「十分」、不「十分」といった他のユーザーへの推薦に言及するときに使う言葉が多く見られた。

一方、先見力のないレビュアについては、「テレビ」化した本、「メディア」や「テレビ」に出ている著者といった、マスコミの権威に流されていることを示す表現が多いことが分かった。

さらに、先見力のないレビュアがよくレビューする本には、東大卒など高学歴の著者による本が多いことも見出された。この結果は、権威を指標に情報を判断する人ほど、プロパガンダに引っ掛かりやすいことを示唆するものである。

③自分の卑しい心と向き合い、それを乗り越えよ

カール・ブッセの『山のあなた』やモーリス・メーテルリンクの『青い鳥』を引くまでもなく、人間は隣の芝生が青く見える生き物である。

そのため、現状に対する不平不満を煽《あお》る情報に乗せられ、社会がより悪化する選択肢に魅《み》せられてしまう。これが左翼に付け入る隙《すき》を与える。

不平不満を煽るマスコミが悪いのであって、煽られる人の罪ではないと思うかもしれない。しかし、そうとは言い切れないことを示唆する研究結果がある。

私も協力した筑波大学岡田幸彦准教授の研究グループによる２０１８年の研究[19]では、オンラインニュースサイト「dot.（ドット）」の２０１５年11月からの６ヶ月間の記事のうち、平均閲覧時間が18秒以下のものを閲覧時間が短い記事、40秒以上のものを長い記事と定義し、閲覧時間が長い記事と短い記事の特徴が調べられた。

その結果、閲覧時間が長いのは、「争う」「陥る」「壊す」「疲れる」「づらい」「困る」「怒る」

といった言葉が含まれる暗いニュースや不平不満に関する記事で、「明るい」「親しむ」「輝く」「優しい」「元気」「うれしい」といった言葉が含まれる明るいニュースは閲覧時間が短いことが分かった。

最近のテレビ番組は、暗いニュースを張り切って伝えたり、人を繰り返し批判したりと、見ていて気分の悪くなるものが多いが、ここで紹介した研究から、実は多くの視聴者がそうした番組を望んでいる可能性が示唆される。テレビ局がビジネスに徹して、人々が求めているものを提供しようとすると、現状の放送内容に行き着いてしまうというわけだ。

われわれの中には、自分が原因の問題を他人のせいにしたり、他人の不幸を喜んだりする卑《いや》しい心が大なり小なり住んでいる。それを克服することが、プロパガンダに乗せられない強い人間になるために最も重要なことなのかもしれない。

第1章 参考文献

[1] マルクス、エンゲルス、大内兵衛訳、向坂逸郎訳『共産党宣言』岩波文庫（１９５１）

[2] 本文に挙げたレイモン・アロンの言葉は、姜天錫『正直でも頭が良いわけでもない「左派勢力」』朝鮮日報２００７年3月18日からの引用である。出典は不明だが、レイモン・アロン著『知識人の阿片（L'Opium des intellectuels）』には、欧州（特にフランス）における左派の反米感情について、大衆はかつて自分達よりも貧しかった米国に生活水準を追い越されたことに腹を立てる一方、知識人は共産主義陣営に対抗するため米国と協力しなければならないことが分かっているのに、それを諭す役割を放棄し、無知な大衆に迎合してさらに反米的な態度に出ると述べられている。さらに、この箇所には、共産主義者は正直にソ連への協力をしているだけで、彼らは迎合する知識人に含まないとの脚注がある。この部分は、趣旨としては朝鮮日報の記事でレイモン・アロンの言葉とされた内容にかなり近い。なお、この著書の題目『知識人の阿片』は共産主義のことを指す。

[3] John Edgar Hoover,"Masters of Deceit: The Story of Communism in America and How to Fight It,"Henry Holt Company（１９５８）

[4] 江崎道朗『コミンテルンの謀略と日本の敗戦』ＰＨＰ新書（２０１７）

[5] ジョン・アール・ヘインズ、ハーヴェイ・クレア、中西輝政訳『ヴェノナ』ＰＨＰ研究所（２０１０）
[6] フランシス・フクヤマ、渡部昇一訳『歴史の終わり（上・下）』三笠書房（１９９２）
[7] マーサ・スタウト、木村博江訳『良心をもたない人たち』草思社（２００６）
[8] ロバート・ヘア、小林宏明訳『診断名サイコパス―身近にひそむ異常人格者たち』ハヤカワ文庫（２０００）
[9] Cydney Dupree and Susan T. Fiske, "Self-Presentation in Interracial Settings: The Competence Downshift by White Liberals," Journal of Personality and Social Psychology, Vol. 117, pp. 579-604（２０１９）
[10] 畑中允宏、金丸敏幸、村田真樹、掛谷英紀『新聞の社説を教師信号とする文章の右翼度・左翼度判定 第2報』言語処理学会第14回年次大会講演論文集 pp. 289-292（２００８）
[11] Deng Junfu, 樋口心、掛谷英紀『政治イデオロギーによる小説・映画の嗜好の違いの特徴分析』言語処理学会第26回年次大会講演論文集 pp. 973-976（２０２０）
[12] クライブ・ハミルトン、山岡鉄秀監訳、奥山真司訳『目に見えぬ侵略 中国のオーストラリア支配計画』飛鳥新社（２０２０）
[13] Newt Gingrich "Trump vs. China: Facing America's Greatest Threat," Center Street（２０１９）

[14] 吉松崇『労働者の味方をやめた世界の左派政党』ＰＨＰ新書（２０１９）

[15] Jordan Peterson, "12 Rules for Life: An antidote to chaos," Random Howse Canada（２０１８）

[16] Ben Shapiro, "How to Debate Leftists and Destroy Them: 11 Rules for Winning the Argument," David Horowitz Freedom Center（２０１４）

[17] ジャン・ジャック・ルソー、今野一雄訳『エミール（上・中・下）』岩波文庫（１９６２）

[18] 掛谷英紀、佐藤裕也『書籍のレビューに基づく先見性のある人物の特徴分析』言語処理学会第22回年次大会講演論文集 pp. 1149-1152（２０１６）

[19] 周倩（指導教員：岡田幸彦）『オンラインニュースのテキスト特徴分析』筑波大学理工学群社会工学類卒業論文（２０１８）

第2章

左傾化する大学

実際上の立場を「学問的に」主張することができないということは、——客観的に与えられたものとして前提された目的のための手段を論じるばあいは別として——もっと深い理由によるのである。というのは、こんにち世界に存在するさまざまの価値秩序は、たがいに解きがたい争いのなかにあり、このゆえに個々の立場をそれぞれ学問上支持することはそれ自身無意味なことだからである。

マックス・ウェーバー『職業としての学問』[1]

2·1 学問のバイアスを測る

安保法制に反対する学者の会

２０２０年10月1日、日本学術会議会員の任命で、政府が１０５名の候補のうち６名を拒否したことが明らかになった。この６名は、いずれも「安全保障関連法に反対する学者の会」（以下、「学者の会」と略称）の呼びかけ人になるなど、学者の肩書を使って左翼的な政治活動を積極的に行ってきたことで知られる。そのため、政府に批判的な学者だけが意図的に外されたとの憶測がなされた。実際には、任命された中にも「学者の会」に署名した学者が多数含まれており、政府に批判的な人間を全員外すといった極端なことは行われていない。

それでも、左翼学者の多くは、政府の任命拒否を「政治による学問への介入だ」と批判した。しかし、学者がその肩書を使って政治に介入し続けてきたのであるから、その政治活動に対して政治家が介入するのは当然である。「政治は学問に介入してはいけない」と「相互主義」を仮定すると、「学問は政治に介入してはいけない」が論理的に導出される。相互主義的な考えを認めず、学者だけが一方的に政治に介入できることになると、法の下の平等に反する特権的な地位を学者に与えることになる。

だから、学問の独立を守るために、学者自身が政治から距離を置く必要がある。ところが、「学者の会」の活動に見られるように、実際には学問の政治からの独立を積極的に破る学者が大量にいる。筆者は、この「学者の会」に署名した人の所属機関と専門とする学問分野を集計すれば、学問の政治バイアスを定量化できると考えた。以下に、筆者らが行った調査内容[2]について紹介する。

われわれは、「安全保障関連法に反対する学者の会」に、２０１５年６月11日20時から同年９月24日９時までの期間に「学者の会」の声明に賛同署名した１４２６１名の学者について、所属する大学や専門分野にどのような傾向があるのかを調査した。署名者の一覧をホームページより入手し、名誉教授および現役の教員を集計の対象とした。署名

表２・１

「安全保障関連法に反対する学者の会」に署名した教員の所属大学上位３０校

順位	大学名	署名者数
1	東京大学	241
2	立命館大学	212
3	京都大学	194
4	早稲田大学	189
5	明治大学	142
6	慶應義塾大学	134
6	北海道大学	134
8	立教大学	131
9	名古屋大学	128
10	中央大学	124
11	大阪大学	122
12	東北大学	120
13	新潟大学	113
14	神戸大学	109
15	九州大学	105
16	日本大学	104
17	龍谷大学	103
18	法政大学	94
19	広島大学	82
20	青山学院大学	80
21	一橋大学	79
22	同社社大学	76
23	静岡大学	72
23	千葉大学	72
25	筑波大学	71
26	金沢大学	70
27	埼玉大学	68
27	北海道教育大学	68
29	神奈川大学	67
30	岡山大学	65

の際に所属大学等を記載しなかった人については、集計の対象から除外した。

右の基準で集計した結果、868の機関に所属する9409名のデータが得られた。表2・1（前頁）は所属大学の上位30位までのリストである。この上位30大学中、国公立大学が3分の2を占めている。しかしながら、国公立大学は一般に教員数が多く、実数が大きいことがその大学の政治バイアスの大きさをそのまま表しているとはいえない。

そこで、署名者実数が上位75位までに入る大学に絞って、2015年5月1日現在各大学に所属する教員数を各大学のサイトから入手し、全教員数に占める署名した教員の比率を調べた。なお、母数とした教員数は、専任教員の教授、准教授、講師、助教、助手の合計としている。この基準で得られた大学別比率を表2・2に示す。

1位の立教大学、3位の佛教大学をはじめとして、宗教系の大学が上位に多いことが分かる。宗教系の大学は、その性質上、学問の価値中立が希薄になりやすいことは、ある意味自然なことかもしれない。その一方で、東京外国語大学や一橋大学、福島大学などの国立大学も上位に位置していることは注目に値する。

表２・２

「安全保障関連法に反対する学者の会」教員の所属大学上位 75 校の比率

		比率（%）			
1	立教大学	29.64	39	神戸大学	8.27
2	東京外国語大学	25.82	40	茨城大学	8.25
3	佛教大学	22.97	41	高知大学	7.93
4	立命館大学	22.34	42	首都大学	7.87
5	獨協大学	21.82	43	関西大学	7.79
6	一橋大学	21.07	44	名古屋大学	7.63
7	日本福祉大学	20.77	45	金沢大学	7.14
8	福島大学	20.69	46	大阪府立大学	6.95
9	龍谷大学	18.46	47	京都大学	6.95
10	東京学芸大学	17.63	48	東洋大学	6.87
11	中央大学	17.59	49	北海道大学	6.49
12	日本女子大学	17.05	50	山梨大学	6.41
13	北海道教育大学	15.89	51	東京大学	6.20
14	明治学院大学	15.28	52	岐阜大学	5.81
15	埼玉大学	14.75	53	山形大学	5.80
16	和歌山大学	14.48	54	琉球大学	5.68
17	愛知大学	14.40	55	広島大学	5.67
18	明治大学	14.31	56	島根大学	5.65
19	神奈川大学	14.29	57	香川大学	5.60
20	明星大学	14.24	58	千葉大学	5.45
21	岩手大学	13.92	59	愛媛大学	5.36
22	青山学院大学	13.45	60	岡山大学	5.02
23	早稲田大学	13.16	61	九州大学	4.99
24	専修大学	13.12	62	信州大学	4.90
25	法政大学	12.52	63	富山大学	4.87
26	中京大学	12.46	64	三重大学	4.70
27	大東文化大学	12.14	65	東京理科大学	4.59
28	上智大学	12.08	66	熊本大学	4.55
29	学習院大学	11.55	67	東京工業大学	4.54
30	駒澤大学	10.67	68	群馬大学	4.38
31	新潟大学	10.28	69	筑波大学	3.94
32	静岡大学	9.90	70	大阪大学	3.84
33	慶應義塾大学	9.85	71	東北大学	3.77
34	同志社大学	9.54	72	東海大学	3.70
35	横浜国立大学	9.45	73	日本大学	3.68
36	大阪市立大学	9.37	74	鹿児島大学	3.49
37	関西学院大学	8.72	75	近畿大学	2.10
38	東京農工大学	8.49			

分子にだけ名誉教授を含み、分母には含まないため正確な比率ではないものの（署名者数のうち名誉教授は約1割）、概算で2割を超える教員が署名している大学が8校、1割を超える教員が署名している大学が75校中31校にも上ることは、現在の日本の大学において、学問の政治からの独立を放棄する動きがいかに深刻化しているかを示している。

次に、署名者の数を専門分野別に集計したうちの上位20の分野を表2・3に示す。文系学問が上位を占める中で、理系からは物理学、数学、生物学がランクインしている。理系のうち、工学、農学などの実学は上位に入っていない。

憲法学は17位の94名である。この点について当時、この問題の専門である憲法学者はほとんどいないことへの揶揄《やゆ》がネットを中心に多く見られた。しかし、その批判はピントがずれている。法学者がすべきは、この法案にはこういう問題がある、法案のこの部分を変えるとその問題は解消される、現状を放置するとこういう問題が残るといった学問的議論である。その上で個人的にはこの法案に賛成・反対と述べるぐらいなら許容範

表２・３

「安全保障関連法に反対する学者の会」署名した教員の専門　上位20分野

順位	専攻名	署名者数
1	教育学	496
2	歴史学	466
3	社会学	431
4	経済学	360
5	物理学	263
6	哲学	229
6	法学	218
8	数学	184
9	政治学	157
10	言語学	156
11	心理学	154
12	社会福祉学	137
13	フランス文学	115
14	生物学	109
15	英文学	101
16	日本文学	96
17	憲法学	94
17	文化人類学	94
19	ドイツ文学	89
20	文学	87

囲であろう。しかし、個人としてではなく法学者の肩書で政治運動に署名するのは、明らかに学問の政治的独立を棄損《きでん》する行為である。

安保法制について法学以外の学者として署名することには、学問の政治的独立の観点以外でも問題がある。たとえば、私は安保法制についてある程度は勉強している。しかし、さすがに学者の肩書でそれについて意見することは畏れ多くてできない。ある分野について詳しいからといって、学者の権威を振りかざして、あらゆることについて自分が一般の人より正しい判断ができるという不遜《ふそん》な態度を示すことは、学者としてというよりも、教育者として、さらには人として問題がある。それを大量の大学教員が公然と行っているのである。中でも最も多いのが教育学の教員であるというのも皮肉である。

この調査で得られた結果は、私の経験則に合致する部分が多い。筆者は大学時代に理学部で生物化学を学び、大学院では工学系研究科で人工知能に関する研究に取り組んだが、その頃から学問論や科学論について強い関心を持っていた。それで科学哲学の本を多数読み、関連する研究室の勉強会にも参加したのだが、そこで遭遇したある発言に驚いたことを今でも鮮明に覚えている。「これは○○先生が言っているから正しい。」権威主義に落胆した瞬間である。この種の発言は理系の研究室では考えられない。しかし、この出来事はまだ序章に過ぎなかった。

大学で教職に就いてから、われわれが受けた教育とは全く別の価値観で動いている「学問」があることを知った。自然科学においては、できるだけ主観を排して実験結果を解釈するように厳しく訓練される。当然ながら、政治的配慮で実験結果をいじったり、その解釈を歪《ゆが》めることなど、もってのほかである。だからこそ、学問は政治から独立していなければならない。ところが、文系学問の中には、理系の私から見ると、学問をしているのか政治をしているのか見分けがつかないような「学問」が横行していることに気づいた。

同じ学問を名乗りながら、全く違う規範に基づく活動が行われている。この混乱を収拾するには、学問の定義から始めなければならない。そこで2005年に執筆したのが『学問とは何か』[3]である。同著では、人文科学、社会科学、自然科学など、「科学」と名のつく学問は「予測する力を持つ体系的知識」という要件を満たす必要があるとした。実験結果を都合よく操作するような学問は、当然ながら予測力は持ちえない。

ビッグ・データで測る大学の傾向

最近では、小保方《おぼかた》女史の研究不正をきっかけに、研究倫理が厳しく問われるようになった。あるとき、研究倫理の教材作成に関するシンポジウムで驚愕のシーンに遭遇した。医学系出身で長年国立大学の学長を務めた人物が、研究不正が起きる背景として壇上でこう述べたのである。「集団思考に陥ると不正が起きる。自民党と一緒である。」こういう場で政治的発言をすることの不適切さに気付かない人が、研究倫理の教材作成の中心にいるのかと思うと、暗澹《あんたん》たる気持ちにならざるをえない。

もちろん、自民党が他党に比べ集団思考に陥っている客観的な証拠があって言っているなら話は別である。しかし、少なくとも私の研究ではその反対の事実を示す結果を見出している。

２００７年頃より、筆者らの研究グループでは、文系学問に科学の手法を持ち込むべく、情報工学を用いた文書分析の研究を行っている。一般には、ビッグ・データ、データ・マイニング、テキスト・マイニングなどと呼ばれる分野である。その研究の多くはビジネスへの応用を想定しているが、筆者は国会会議録など主に政治に関する文書の分析に取り組んでいる。その一環として行ったのが、国会での発言がどの党の議員によるものなのかを言い当てる人工知能の作成である[4]。

民進党の分裂を的中

１９９９年から２００８年までの国会会議録を機械学習して得られた判定システムに、自民党、公明党、民主党（当時）、社民党、共産党の５択をさせたところ、最も正解率が高いのは共産党（93％）、逆に最も正解率が低いのは民主党（65％）であった。この正解率が高いことは、その党に所属する議員の意見が画一的であることを意味する。つまり、最も集団思考の傾向が強いと言える。逆に正解率が低いことは、所属議員の意見がばらばらで共通点を見出しにくいことを意味する。つまり、分裂しやすい党であるとも言えるが、その予測は民進党（民主党から改名）分裂で見事的中した。ちなみに、自民党は民主党の次に低い正解率7割であった。この客観的データに基づけば、自民党が集団思考であるという批判は正しくない。

この研究結果をベースとして、世の中の言説の政治的バイアスを測定できるのではないかと考えた。各種言説がどの政党の議員の発言と類似度が高いかを数値的に出せるからである。最初に行ったのが新聞の社説への応用である。朝日新聞、毎日新聞、日本経済新聞、読売新聞、産経新聞の5社を対象にしたところ、朝日新聞が当時の野党3党（民主党、社民党、共産党）と最も類似度が高く、逆に産経新聞が最も低いとの順当な結果が出たものの、いずれの5紙も野党との類似度が与党のそれを上回った。新聞社説は基本的には何かに批判的なスタンスで書かれることが多いため、こうした結果が得られたと考えられる。

次に試みたのは、大学のホームページに掲載されている文章の分析である[5]。ホームページに掲載されている大学教員のメッセージや研究科・専攻の教育理念などの文章を学問分野別に収集して分析対象とした。収集対象は、東京大学（人文社会科学44、理工学51、生命科学38）、京都大学（同72、37、40）、筑波大学、（同51、32、32）、早稲田大学（人文社会科学55、理工学29）、慶應義塾大学（同47、32）の５大学である。

収集した文章について、人文社会科学、理工学、生命科学の３分野に分けて、それぞれ各大学の文章がどの政党の発言と類似度が高いかを判定した結果を図２・１から図２・３（次頁）に示す。全て与党寄りに判定されているのは、大学をアピールする文章を収集しているため、ポジティブな表現が多いことによる。その中でも、京都大学の全ての学問分野と慶応大学の文系が野党との類似度が高いこと、学問分野別には理工系が最も与党寄りで、生命科学が最も野党寄りであることが分かった。

文章が与党の発言に類似するか、野党の発言に類似するかは、ポジティブ表現、ネガティブ表現の偏りにも影響されるため、考え方が保守的か革新的かの判断材料とするには不十分な点も多い。そのため、大学のイデオロギー・バイアスを調査する研究は一旦頓挫《とんざ》

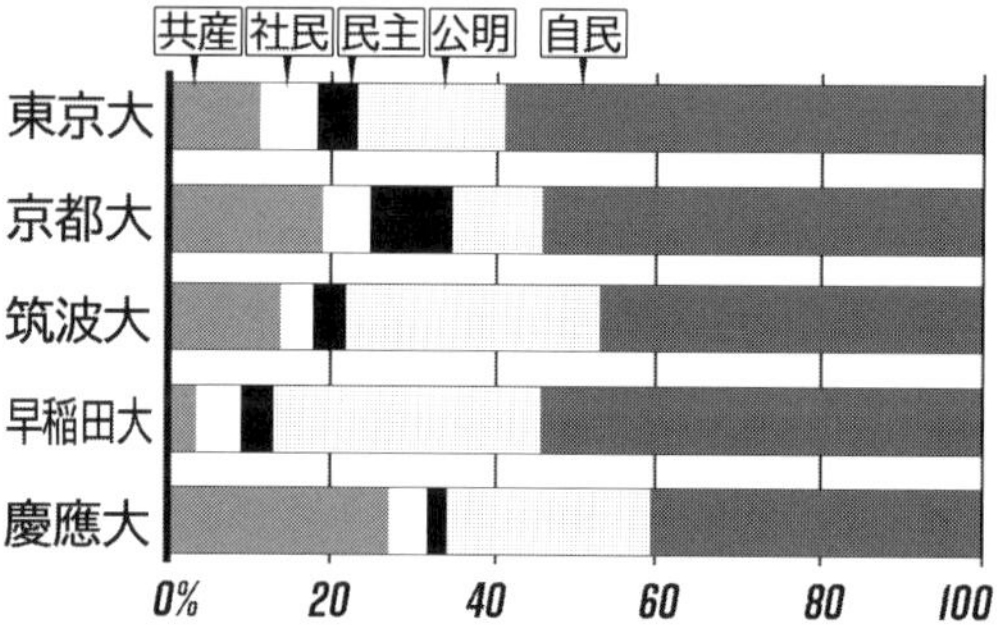

図2・1

人文社会科学系の各大学 HP 掲載文章と各政党議員の発言との類似度

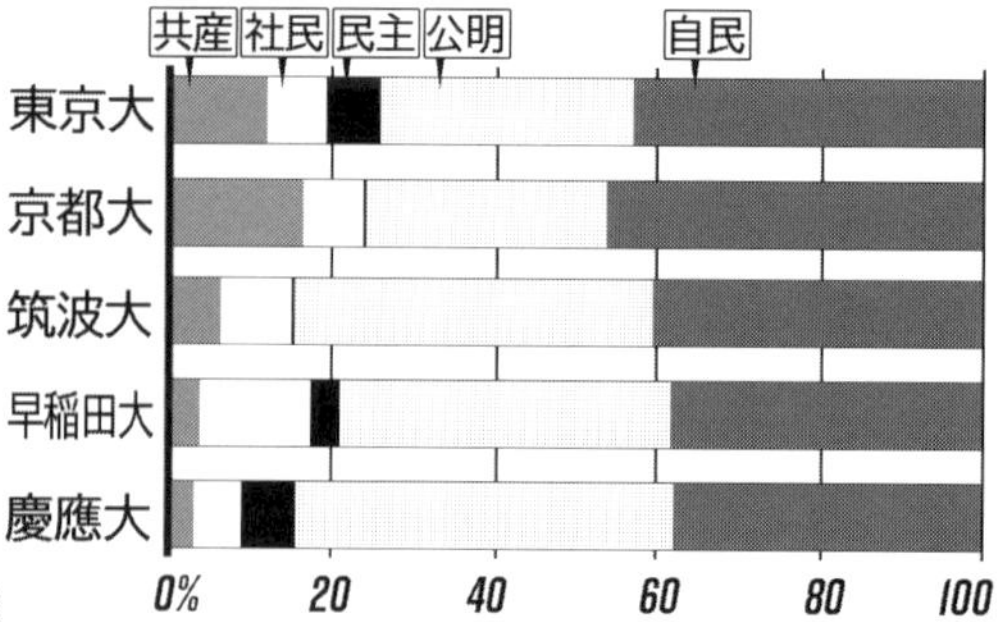

図2・2

理工学系の各大学 HP 掲載文章と 各政党議員の発言との類似度

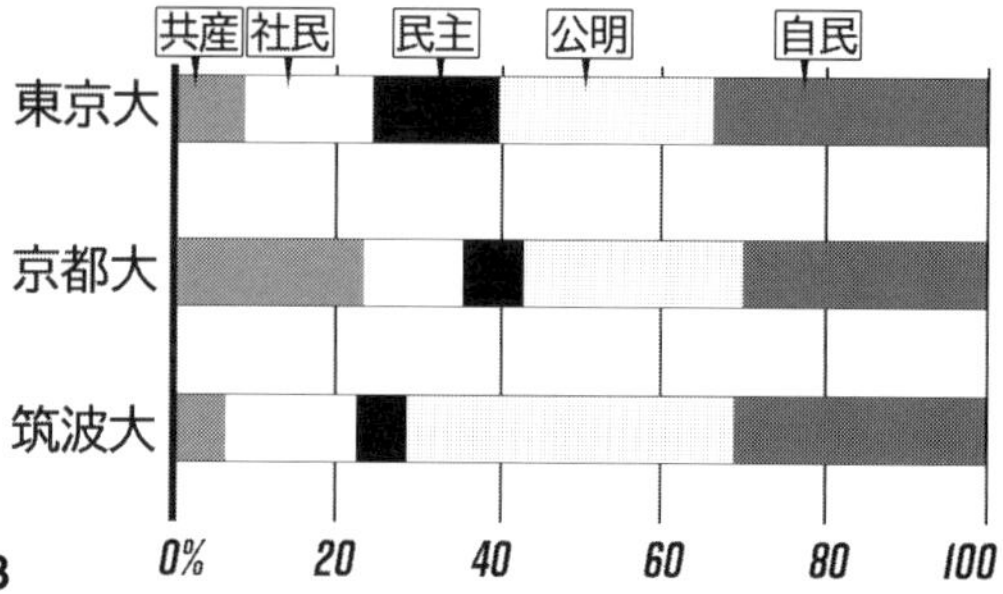

図2・3

生命科学系の各大学 HP 掲載文章と 各政党議員の発言との類似度

していたが、「学者の会」がそれを乗り越える格好の材料を提供してくれた。

学問の政治的中立の意義

既に述べた通り、人文科学、社会科学、自然科学など、科学と名の付く全ての学問は、予測力を持つ体系的知識の構築を目指すものである。この目的を達するためには、学問は政治的に中立でなくてはならない。たとえば、親中国という政治性をもつ学者たちは、中国がＷＴＯに加盟するなどにより国際社会の一員になれば、知財権も守るようになるし、領土的野心も見せなくなると主張していた。しかし、その予測は完全に外れた。こういう結果になることは、中国共産党の歴史や政治機構を客観的に分析すれば、容易に予想できたことである。

残念ながら自然科学の分野にも政治性は存在する。原子力推進の学者の中には原子力発電は絶対安全と言っていた学者がいたが、科学的に絶対安全などというものはありえない。実際、福島第一原発は事故を起こした。一方、自然エネルギーは環境に優しいと宣伝して研究予算を獲得する研究者も少なくないが、自然エネルギーはそのエネルギー密度の低さゆえ、主要電源にするには広大な面積の開発による自然破壊を伴う[6]。最近、メガソーラーによる自然破壊が問題視され始めているが、こうした事態が起きることは、特定の政治やイデオロギーの色眼鏡なしで見れば簡単に予測できたのである。

政治運動を主導する学者

学問が本来の機能を果たすためには、政治的に中立でなければならない。にもかかわらず、学者が自ら「学者の会」のような政治運動を主導するとは、私は学者の一人として全く信じられない思いだった。普段、大学の自治や学問の政治的独立を声高に主張する人々が、自ら学者の名で政治運動にコミットすることの矛盾は、まともな理性の持ち主なら気づかぬはずはない。ところが、この運動に一万人を遥かに超える学者が署名を寄せたのである。

もちろん、学者であっても一市民として政治的な発言の自由は当然ある。しかし、その発言は市民の立場で行うべきであって、学者の肩書を使って行われるべきではない。でなければ、学問の政治的独立性は守れない。実は、当時、学者の肩書による政治活動に対する抗議運動の展開を模索したことがある。賛同の声も少なくなかったが、その運動自体が政治運動になるのではないかと危惧する声も多かった。良心的な学者は政治的な動きをすることにそこまで慎重なのである。その結果、良心に欠ける学者の声ばかりが社会に広まってしまうのは皮肉である。

『学問とは何か』でも書いたが、学問は価値中立でなければならないものの、学問が学問であり続けることを守るという価値だけは掲げないと、学問が自壊してしまう。そのため、学問を守るという価値だけは、学者の肩書で主張することが許されて然るべきである。ただし、その主張が特定の政治運動に対して向けられると、逆向きの政治性を帯びてしまうというジレンマに陥る。

残念なことに、最近は、学問が価値中立でなければならないという主張自体を攻撃する学者が現れている。原子力や戦争は絶対悪であるから無条件に否定されねばならないという主張である。確かに原子力の事故は一度起きるとその被害は甚大であり、放射性廃棄物の問題も深刻である。ただ、その一方で、さきほど述べた通り原子力以外の発電方法も大きな副作用を抱えている。戦争も絶対悪といえるかどうかは非常に疑わしい。隣国が攻めてきて、抵抗しなければ国民全員が奴隷になるとき、自衛の戦争をすることについては、少なくとも日本以外の国では大多数の人が正しいと判断する。

現在の学問分野は多岐にわたるが、その源流は哲学に行きつく。だから、米国ではどの専門分野で学位をとっても、Doctor of Philosophy（哲学博士）になる。哲学の基本はまず疑うことである。それは一般向けに書かれてヒットした哲学入門書である『ソフィーの世界』[7]や『これから「正義」の話をしよう』[8]からも読み取ることができる。その健全な懐疑を根本から否定する学者が少なくないのが今の日本の学界が置かれた現状である。

学界に蔓延る左翼権威主義

以後の議論では、イデオロギーの区分として「左翼」という言葉を使うが、この言葉には定義の曖昧性があるので、この章での定義を先に述べておく。この章でいう左翼は次の特徴を有する思想を指す。

- 表向きは「リベラル」を標榜《ひょうぼう》するが、実際には自分および自ら共感を寄せる集団の自由にのみ関心があり、それ以外の人間の自由には関心がない。自由や人権を弾圧する国家に共感を持つことも多い。
- ある種の万能感を有し、自分は常に正しいと考える傾向が強い。そのため、「ダイバーシティ」を標榜しながら、自らの意見と異なる言論をしばしば封殺する。
- 反権力や弱者救済を掲げる一方、自ら権力を得たいという欲求が強く、立身出世に執着する。奉仕の精神に乏しく、社会貢献には関心が薄い。
- 現実に起きていることよりも自らの頭の中にある理想を優先させる。自分の思想が現実と合わない場合、自らの考えを修正するのではなく現実を非難する。

このような特徴を持つ思想は、本来「左翼権威主義」と呼ぶべきかもしれない。しかし、権威主義的でない左翼は残念ながら現在の日本の学界にはほとんどいないので、ここで「左翼」と省略することには問題がないと考える。

むしろ、言葉の用法で困るのは「リベラル」の方である。私は学問の自主独立を守るという立場なので、左翼権威主義とも右翼権威主義とも戦うリベラルを自認している。ところが、左翼権威主義者が「リベラル」を自称するため、リベラルを名乗ると左翼権威主義者と間違われてしまうことになる。

学者のほとんどが左翼という誤解

リベラルである以上、学者たちが学者の肩書を使って右翼的な政治活動を始めれば、私はここで書いた論拠に基づいて同じように批判する。当然、左翼学者も私と同じ論理を持ち出して、激しい抗議をするだろう。そういうダブルスタンダードが左翼の真骨頂である。しかし、今の日本の大学で、学者の肩書で右翼的政治運動をしている人は皆無である。一方、学者の肩書で行われる左翼的政治活動は、「安全保障関連法に反対する学者の会」以外にも、2017年の日本学術会議による「軍事的安全保障研究に関する声明」など、その数は少なくない。

そのため、保守論壇ではアカデミアに属する人はほとんど左翼であるという誤解が広がっているようである。しかし、私の経験則では、工学などの実学では左翼の人はほとんどいない。そのことは冒頭に紹介した調査でも裏付けられている。

われわれ工学者は、新たな機能を持つものの実現を目指して、研究開発の過程で何度も実験を繰り返す。しかし、実験のほとんどは失敗である。こうすればうまくいくと思っても、何か見落としがあるという現実を何度も突き付けられる。そうやって何十回と失敗を繰り返した末に、漸く所望の機能が実現するのである。実験に失敗して、実験結果を批判しても、何も生み出すことはできない。日々反省の連続である。こういう経験をしていると左翼権威主義のような考え方にはなれない。

同じ理系でも、理論系の学者は左翼の人が多い。彼らは、実験失敗の洗礼を受けない。

その一方、勉強は得意なので、間違った万能感を持ちやすい。冒頭の調査でも、物理学者と数学者が署名リストに多く含まれている。

一つエピソードを紹介しよう。数年前、ある国際学会で知り合った数理工学が専門の大学教員と夜飲む機会があった。彼にあなたの理論を実用に結びつけるような研究をしないのかと尋ねると、返事はこうだった。「理論だけで放置した方が他の人がそれを使った実用研究をやってくれるので、自分の論文が沢山引用されて引用数を稼げる。」その言葉を聞いて、左翼的な人だなと思ったが、その勘は正しかった。

その後国際情勢の話になり、中国に飲み込まれたら学問の自由もなくなると私が言うと、彼はこう返してきた。「中国にもいいところはある。日本の政治家は世襲だし、女性議員も少ない。その点、中国の方が平等だ。」私は仰天してこう返した。「だって中国共産党の政治局常務委員の7人は全員男性だし、世襲の太子党という勢力もあるでしょ。それはおかしいよ。」さすがに彼は何の反論もできなかった。

表2・3（101頁）の署名リストには生物学者も多く含まれている。生物学は基本的に実

験科学なので、今までの議論からすると意外に思われるかもしれない。しかし、私の経験では生命科学分野にも左翼は少なくない印象がある。

実は、生命系の研究室はどこも相当「ブラック」である。個々の研究者は、ＰＩ（principal investigato 研究室主宰者）のもと長時間働かされる。ＰＩが絶大な権力を持つので、権力闘争も激しい。そのため、プロレタリアート的雰囲気が醸成されやすい。私は大学院進学で生命系から工学に移ったとき、あまりの自由さにカルチャー・ショックを受けたのを覚えている。

東大に左翼が多いというのも誤解

保守論壇にあるもう一つの誤解として、東京大学には左翼が多いというものがある。冒頭の調査でも確かに実数は多いが、それは分母が大きいからで、率としてはそれほど高くない。それでも、左翼が多いという誤解が生じるのは、軒並み左に偏向している大手マスコミが、自らのイデオロギーに合う東大教員を好んで起用するため、その印象が強くなるからだと考えられる。実際、私は東京大学の政治学や社会学などを専門とする複数の文系教員と学術的なやりとりをしているが、それらの先生は社会「科学」たる立派な研究をされている。定量的分析は、メディア・バイアスで生じる誤解を解くという意味でも有益かもしれない。

最近は、各種経済誌で就職に有利な大学といったランキングがしばしば掲載される。そのような現金な基準で大学を選ぶのもいいが、政治から独立した自由な学問の文化が守られているか否かという基準で大学を選ぶこともできる。そういう高尚な趣味がある方は、ここで紹介した調査結果を是非参考にしていただければと思う。

2·2 学会の政治偏向と科研費

教育基本法に謳われた政治中立

前節で、筆者は「安全保障関連法に反対する学者の会」（以下、「学者の会」）を題材として、学者による政治活動の問題について述べた。この論考を２０１８年雑誌「正論」６月号で最初に発表したときにはかなりの反響があった。中でも目立ったのが、学者が政治活動をして何が悪いという開き直りの言説である。政治が学問に介入すると大騒ぎするのに、学問が政治に口を出すことには何の抵抗も感じないようである。そういう非対称な関係を当然視するのは、自らが他者に優越する特権を有していると考えていることの証左である。

前節では、あくまで学問の倫理問題として話をしたかったので、あえて持ち出さなかったが、学者が所属大学名を明示して政治活動をすることには法的な問題もある。教育基本法にはこう書かれている。

第14条2　法律に定める学校は、特定の政党を支持し、又はこれに反対するための政治教育その他政治的活動をしてはならない。

これに対して、この条項は大学の政治活動を禁止しているだけで、教員個人の政治活動は禁止していないと反論する人がいる。たしかに、大学の名前を使わずに一個人として政治活動をする自由はある。しかし、所属大学名を使って活動すれば、それは教員個人の活動ではない。

一つ例を挙げよう。安保法制反対の人の大多数は、大学の軍事研究に反対の立場の人である。では、ある大学教員が、これは教員個人の研究であると強弁して軍事研究を始めたら、それを許すのだろうか。おそらく猛反対するであろう。

迷惑がかかるので匿名にするが、私の知っている教員で実例がある。彼は米国の大学のある学者と共同研究を行った。研究の中身は軍事研究ではないが、米軍から研究費が提供されているプロジェクトである。これに対して、その教員の所属する大学の副学長が、その研究を大学の施設を使って実施するのを禁止し、やりたければ個人として行うように命じた。そのため、当該教員は研究成果を発表するとき、所属として大学名を名乗れなかった。大学名を名乗れば大学の活動の一部になるという認識があるからこそ、こういう判断になるわけである。

科研費審査員の偏り

前節の論考には肯定的な反応も多くあった。その一つが、学会別に政治活動へのコミットの度合いを調べてもらえないかというリクエストである。残念ながら、学会会員の名簿は一般には入手できない。しかし、科研費（日本学術振興会科学研究費助成事業）の分科・細目は各学会の活動単位をある程度反映している（公式には否定されているが）。そこで、今回は科研費の各細目の審査委員のうち、「学者の会」に大学名を明示して署名していた人（2018年4月17日時点）の割合を調査するとともに、そこで得られた結果について考察することにする。

表2・4に、平成29年度科研費第1次段審査委員の人文社会系の各細目ごとの人数、そのうち「学者の会」に大学名を明示して署名していた人数と割合を示す。

この表から分かる通り、ジェンダーは唯一過半数の審査委員が「学者の会」に大学名を明示して署名している（以下、単に署名していると書くが、所属大学名を明示していない場合はいずれも集計対象から外している）。この細目について、同年の採択課題の代表者が「学者の会」へ署名している割合を調べてみると、科学研究費助成事業データベースで平成29年度に新規採択になっている55課題のうち、20課題の代表者が「学者の会」に署名していた（複数の細目が記載されている場合は、ジェンダーが最初に挙げられているもののみを加算）。また、大型の予算が割り当てられる研究種目基盤A、基盤Bの計5件についてみると、代表者5名中3名が、分担者を含むと計28名中14名が署名していた。

このように、ジェンダー学の研究者は政治活動へコミットする割合が非常に高いことが

表２・４

学術振興会の科研費審査委員に「安全保障関連法に反対する学者の会」署名教員が占める文系学問分野ランキング

順位	細目	分科	審査員数	署名者数	比率（%）
1	ジェンダー	ジェンダー	241	241	241
2	ヨーロッパ文学	文学	212	212	212
3	日本史	史学	194	194	194
4	基礎法学	法学	189	189	189
5	公法学	法学	142	142	142
6	ヨーロッパ史・アメリカ史	史学	18	7	38.9
7	アジア史・アフリカ史	史学	14	5	35.7
8	文化人類学・民俗学	文化人類学	18	6	33.3
9	社会学	社会学	30	8	26.7
10	人文地理学	人文地理学	8	2	25.0
11	国際法学	法学	8	2	25.0
12	教育学	教育学	30	7	23.3
13	英米・英語圏文学	文学	22	5	22.7
14	哲学・倫理学	哲学	18	4	22.2
15	言語学	言語学	22	4	18.2
16	芸術一般	芸術学	18	3	16.7
16	日本語教育	言語学	24	4	16.7
16	政治学	政治学	18	3	16.7
19	社会福祉学	社会学	26	4	15.4
20	国際関係論	政治学	14	2	14.3
21	宗教学	哲学	8	1	12.5
21	文学一般	文学	8	1	12.5
21	日本語学	言語学	8	1	12.5
21	史学一般	史学	8	1	12.5
21	新領域法学	法学	8	1	12.5
21	理論経済学	経済学	8	1	12.5
21	経済学説・経済思想	経済学	8	1	12.5
28	教科教育学	教育学	30	3	10.0
29	美学・芸術諸学	芸術学	14	1	7.1
29	経済史	経済学	14	1	7.1
29	実験心理学	心理学	14	1	7.1
32	外国語教育	言語学	30	2	6.7
32	経営学	経営学	30	2	6.7
34	地域研究	地域研究	18	1	5.6
34	民事法学	法学	18	1	5.6
34	教育心理学	心理学	18	1	5.6
34	特別支援教育	教育学	18	1	5.6
39	中国哲学･印度哲学･仏教学	哲学	19	1	5.3
39	経済政策	経済学	22	1	4.5
40	臨床心理学	心理学	27	1	3.7

以下、署名者数ゼロ

観光学	観光学	14	0	0.0
思想史	哲学	8	0	0.0
美術史	芸術学	14	0	0.0
日本文学	文学	22	0	0.0
中国文学	文学	8	0	0.0
英語学	言語学	8	0	0.0
考古学	史学	14	0	0.0
社会法学	法学	14	0	0.0
刑事法学	法学	9	0	0.0
経済統計	経済学	8	0	0.0
財政・公共経済	経済学	14	0	0.0
金融・ファイナンス	経済学	14	0	0.0
商学	経済学	18	0	0.0
会計学	経済学	19	0	0.0
社会心理学	心理学	14	0	0.0
教育社会学	教育学	19	0	0.0

分かる。

次に比率が高い細目はヨーロッパ文学で、ちょうど半数である。興味深いのは、同じ文学でも日本文学と中国文学については誰も署名していないことである。どの文学を専攻しているかで、これだけの大きな差があることは注目に値する。

その次に高率の細目は日本史である。歴史学については、日本史に限らず、ヨーロッパ史、アメリカ史、アジア史・アフリカ史とも高率であるが、対照的に考古学は署名者ゼロである。

それに続く基礎法学、公法学は憲法学に近いので、高率になるのはある意味自然である。ただ、その一方で、同じ法学でも、民事法学、社会法学、刑事法学のような実務的な法学領域では、署名者はほとんどいない。

前節では、「学者の会」の署名に記載された専門分野の上位リストを紹介したが、順位は1位教育学、2位歴史学、3位社会学、4位経済学であった。このうちの1位から3位までは、科研費の審査委員でも署名者が多くいるが、4位の経済学については、どの細目についても、「学者の会」に署名している人は非常に少ない。

高齢者に多い署名者

この理由として一つの仮説を立てた。昔は経済学というとマルクス経済学が主流であった。しかし、ソ連崩壊もあり、その後はより実証的な経済学がそれにとって代わったため、現在の科研費の審査委員の政治色が薄まっているのではないかという仮説である。だとすると、「学者の会」における経済学を専門とする署名者は高齢者、つまり名誉教授が多いはずである。そこで、署名者に名誉教授が占める割合を調べたところ、予想通り27％と高率（全体では13％）であることが分かった。

雑誌「正論」２０１８年７月号の砂畑涼氏の記事では、政治学者山口二郎氏の科研費研究成果報告書が紹介されており、学術研究としての妥当性に疑義が呈《てい》されていた[9]。その報告書の文面を見る限り、山口氏個人の学者としての資質は疑いを持たれても仕方ない。しかし、それをもって政治学全体がおかしいと判断するのは間違いである。表からも分かるように、政治学の科研費審査委員に占める「学者の会」署名率は高くない。私自身、国会会議録を機械学習で分析する研究をしている関係で、政治学者の集まる学会にも参加したことがあるが、どの発表も社会「科学」の名にふさわしい学術的に高度な研究で大変勉強になった。

最近、科研費が政治活動に流用されているという疑惑を、杉田水脈衆議院議員や数人のジャーナリストが積極的に取り上げている。この問題にフォーカスを当てることは重要だが、一研究者の私から見て、現場の研究者への聞き取り調査が不十分なことに起因する細かな誤解がしばしば見られる。たとえば、科研費は国費だから国益に資するような研究をというのは危険な主張である。その理屈でいくと、国益のためなら事実を捻じ曲げてもいいことになりかねない。

まず、大前提として学問は事実やデータを曲げてはいけない。そういう間違った学術研究は反日であっても愛国であっても認めてはいけない。反日活動家の研究者への批判は、反日的であることに対してではなく、反日という政治目的のために事実を曲げ、学問を貶めていることに対して向けられるべきである。学問の自由とは研究対象の選定、研究成果の公表の自由であり、捏造の自由はない。この点は、学問の自由に関わるデリケートな問題だけに、より精緻《せいち》に議論を進めることを期待したい。

前節の議論を補足すると、自然科学と社会科学は英語でもNatural Science, Social Scienceで共に科学であるが、日本語でしばしば人文科学と呼ばれるものは英語ではHumanities（人文学）であり、科学ではないという位置づけになる。よって、予測する力を持つ体系的知識たる科学に求められる価値中立の姿勢は、人文学にとっては対象外となる。ただし、人文学の中でも歴史学については、過去に起きたことを客観的に記述することを社会に期待されている学問である。にもかかわらず、学会全体が一定の政治性を帯びているというは問題であろう。

実際、今の学生の歴史的知識を見ると、イデオロギー的な偏りがかなり見られる。２０１０年に近現代史や国際情勢の知識を問う４５０人規模のアンケート調査を行ったのであるが、「ベトナム戦争で米軍が撒いたものは何か」という問いに対する正解率は非常に高かったものの、「第二次世界大戦後日本人を抑留した国と抑留した場所」を問う問題や、「天安門事件で起きた内容」を問う選択肢の問題は正答率が極めて低いことが分かった[10]。つまり、自由主義国の行った悪事については詳細に教わるのに、共産主義国の行った悪事についてはほとんど教わっていないのである。こうしたバランスを欠いた歴史教育の背景に、歴史関係の学会の政治的偏りの影響がある可能性は高い。

ジェンダー学は学問ではない

以下では、今回の調査でトップとなったジェンダー学についてより掘り下げてみたい。ジェンダー学は数年前まで女性学と呼ばれることが多かった。もともとは社会学の一部で、そこから独立した学問分野である。ジェンダー学者については、杉田水脈議員による科研費の政治活動への流用に関する追及対象にもなっている。筆者自身、女性学（ジェンダー学）が強い政治性を帯《お》びていることについては、2005年に書いた『学問とは何か』で既に取り上げている。

そもそも、女性学（ジェンダー学）は自らの活動が政治活動であると自覚している節がある。たとえば、堀口悦子著『ジェンダー論』（図書の譜：明治大学図書館紀要No.6）[11]には「女性学は、既存の学問領域とは異なり、知識や理論の追求だけではなく、個人と社会の変革を目的とする。」と書かれている。これは自らの活動が政治活動であることを陽に認めているに等しい。

また、拙著『学者のウソ』[12]でも引用したが、厚生労働省の第5回女性の活躍推進協議会議事録中の次のような記載がある。

【座長】

これを言ったら不謹慎なと叱《しか》られるかもしれませんが、女性活躍の企業ランキングというのは面白いな、一度やってみたらどうかと思いながら、もし、その結果が出て、企業業績との相関がどう出るのかと考えたら、フッと心配になりました。3つのケースが考えられるわけです。トヨタを筆頭にわあーっと業績の順位がいまイメージとしてあります。女性の活躍の順位があれに非常に相関していたとしたら、これは大拍手なのです。全く逆で、業績の悪いところがこの女性活躍の上位にきていたという形、中間の全くばらばらで無関係と、この3種類のどこかに出るのですが、少し業績のいい大企業の2、3の様子を見てから、この辺は上位にきそうだという確信を持ってドーンとやるようにすべきかと思ったりして聞いていました。

【委員】

業界別に行わなければならないですね。だから、トヨタのような自動車を作っている所と、流通業の所というのは違いますから、おっしゃるとおり、その危険はあります。だから、市場テストをしたほうがいいと思います。

【座長】

もし、無関係と出ただけでも、「何、このテーマは」となりかねないですから。

(中略)

【委員】

まずデータを取ってみて、相関関係がうまくある程度出たら、そのまま出し、全くアットランダムだったら、業績とは関係ないかもしれないけれども、長期的に、国際的に見て、女性の管理者の登用が遅れているから、上げなければいけないというのを別な言い方でもって、持っていくという手もありますから、まずはやってみることです。

このやりとりで、委員たちは、自ら都合のいい統計データのみを恣意《しい》的に取り出そうという意図を開陳している。それを悪いことであるとも思わず、議事録に残して平然と公開していることは驚きである。なお、この会議には「男女共同参画で少子化が解決する」と当時主張していた学者樋口美雄氏もこの協議会委員の一人として出席している。学者としての良識があればこの種の議論には異議を唱えてしかるべきであろう。（なお、女性の労働力率を上げれば少子化が解決をするという主張に使われた学者による統計データの恣意的運用については、赤川学著『子供が減って何が悪いか！』[13]が詳しい。）

実は、この話には続きがある。幸い『学者のウソ』はそれなりの部数が売れたのであるが、出版後しばらく経って、さきほどの議事録が掲載されていた厚生労働省のウェブページを見ると、第5回の議事録だけリンクが切れて見られなくなっていたのである。さらにその後、どうなっているか久しぶりに検索してみると、さすがに第5回だけを削除するのは不自然に見えると思ったのか、第1回から第5回までの議事録を削除して、それ以降の議事録のみが公開されている状態であった。モリカケ問題など、役所の隠蔽《いんぺい》体質が問題になっているが、開かれた役所を本気で求めるならば、厚生労働省の女性の活躍推進協議会を担当する官僚の隠蔽体質も是非追及していただきたいと思う。

より公正な学問に向けて

筆者がこうした人文社会系の研究の倫理問題を取り扱うのは、自らそれらの分野の学会にも進出して研究発表していることもあるが、一番大きな理由は理工系での学生への倫理教育が実質義務化されるようになったことである。一方で学生に公正なデータの取り扱いをするよう厳しく教えているのに、別の分野であるとはいえ先生の立場にある人が学生に禁じている特定の意図をもったデータ使用をしているのでは、まともな教育は成立しない。

地震学者ロバート・ゲラー氏は、地震学者が地震を予知できるようになるといった誤解を与えながら巨額の研究費を得てきたことを糾弾し、それを追及せずに研究倫理を語れるのかと疑問を呈している[14]が、私も同感である。それと同じことはデータの取り扱いにも言える。データの公正な取り扱いは、学問の文理を問わず進めていくべき課題である。

現在、学問分野の一つとして、科学技術社会論あるいは科学社会学と呼ばれる分野がある。これは、科学者からなる集団を一つの社会と捉え、その社会が抱える問題を分析するという研究分野である。昨今頻発している研究者による捏造《ねつぞう》・改竄《かいざん》、あるいはゲラー氏の指摘するような競争的資金獲得時の誇大広告、さらにはいわゆる御用学者の問題など、科学者集団が抱える闇は多く、それらを客観的に分析いただくことは我々自然科学者にとっても大いに役立つものである。ただ、その一方で科学者集団を上から見下ろして悦に浸るのを目的としているのではないかと思われるような科学技術社会論者も残念ながら存在する。

変わりつつある評価制度

科学者集団が問題を抱えているのと同様に、人文社会系の研究者集団も、その一部で学問の名を語って政治活動が公然と行われているなどの問題を抱えている。本章でこれまで論じてきた内容は、いわば「人文社会研究社会論」と言えるものかもしれない。私は悪しき科学技術社会論のように、人文社会系の研究を上から見下ろして批判したいわけではない。お互い同じ「学問」を名乗る以上、その名に相応しい共通の倫理基盤を構築していきたいというのが私の願いであり、その核になるのが学問の政治からの独立であるというのが私の考えである。もちろん、異論はあるかもしれない。その意味では、学問のあるべき姿について、学際的な議論を今後活発化させていく必要がある。

実は、科研費の制度については一つ朗報がある。今回調査対象としたのは平成29年度科研費の審査委員であるが、平成30年度から制度が変わっている。平成29年度までは細目単位の審査であったが、平成30年度より少額の研究費は細目にほぼ相当する小区分、中型・大型の研究費はそれより粗い中区分・大区分単位で審査が行われる方式に変更になっている。これにより、予算規模の大きな研究課題は、学会の仲間内の評価だけでなく、より学際的な観点からその妥当性が評価されるようになった。もちろん、この制度が実質的にどの程度機能するかは時間をかけて見守る必要があるが、科研費制度を論じる場合、こうした細かな動きもフォローしながら議論がなされることを願っている。

2·3 大学の左傾化は世界レベルで進んでいる

私がソ連などを例示して共産主義の間違いを指摘すると、未だ本当の共産主義は実現されていないと反論する人がいる。しかし、これまで共産主義を目指した国は数多くあり、その企ては全て失敗した。再度挑戦するなら、過去の失敗の原因を究明して、それを修正する必要がある。ところが、そういう真摯な姿勢の左翼はいない。ソ連や東欧が失敗したら、次はベネズエラを称賛する。ベネズエラが失敗したら、それに触れないようにする。だから失敗を繰り返す。

理工系の分野で研究開発に携わる人間は、失敗すればその原因を徹底的に洗い出し、それらを修正してから次の実験を試みる。でなければ、いつまで経っても目的を達する技術は完成しない。そういう習性をもつ我々からすると、同じ失敗を何度も繰り返そうとする行動原理は全く理解できない。理工系で左翼思想に嵌《はま》る人が稀有《けう》なのはそのためだろう。

もちろん、もともと社会の破壊と自らの独裁を目指す人にとっては、過去の共産主義国の試みは成功であって失敗ではない。だから、左翼中核層は同じことを繰り返そうとする。一方、左翼浮動層は「理想の社会」を目指しているが、単に考えが足りないので、同じ失敗を繰り返す。

昔の共産主義と今の左翼は違うと反論する人もいる。しかし、特に北米の左翼運動を見ていると、人を物扱いし、人命を著しく軽視するという点で、今の左翼も過去の共産主義国指導者と本質的に同じ思想を持っていると考えざるをえない。

２０１９年5月、米国のジョージア州で6週を過ぎた胎児の中絶を禁止する法案が、そしてアラバマ州では一切の中絶を禁止する法案が通ったことは、日本でも広く報道された。米国の保守派が極端な主張に走っているという印象を受けた人も多いだろう。しかし、その前にブルー・ステイト（Blue State, 民主党が強い州）で、逆の極端な動きがあったことを日本の大手メディアは伝えていない。それを知っていれば、このニュースは全く違ったものに見える。

妊娠中絶をどの時点まで認めるかは、国や州によって異なるが、一定の限度を設けているのが普通である。ところが、この制限の撤廃を求める左翼運動が勢いを増している。その結果、2019年1月、バージニア州とニューヨーク州で出産直前までの中絶（late-term abortion）のハードルを下げる法案が提出された（後者は可決）。そこで議論になったのが、中絶手術に失敗して生きたまま出てきた場合はどうするかということである。左翼運動家たちは、その場合は殺していいということまで言い出しているのである。

こうした主張を見ると、人間を物扱いする共産主義の唯物論的思想を今の左翼も受け継いでいると考えるのが妥当だろう。アラバマ州やジョージア州の動きは、こうしたブルー・ステイトの極端な動きへの反動として出てきたものなのである。

テロを肯定する左翼

本章で述べてきた通り、日本では文系の大学教授の左傾化が顕著だが、これは世界共通の現象である。北米も例外ではない。そうした左翼教授たちの思想の本質を垣間見ることができるエピソードを一つ紹介しよう。

ルービン・リポート（Rubin Report）という米国のインターネット番組がある。番組ホストのデイブ・ルービン(Dave Rubin)はゲイ男性で同性婚もしている。このプロフィールからすると、彼は左翼ではないかと思われるだろう。実際、この番組は開始当初、ザ・ヤング・タークス（The Young Turks）という左翼系のインターネットテレビ局で放送されていた。しかし、ルービンは左翼の欺瞞と暴力性に気づき、そこから離れて左翼を批判するようになった。彼は自らをクラシカル・リベラルと称しているが、今ではリベラルを自称する左翼たちから激しいバッシングを受けている。

２０１８年10月、そのルービン・リポートのゲストにオタワ大学の教授ジャニス・フィアメンゴ（Janice Fiamengo）が登場した。そこで彼女は左翼教授たちの恐ろしさを示す貴重な証言を行った。彼女はもともとフェミニストとして左翼活動に従事していた。左翼からの転向組という点で、ルービンと共通している。

番組でルービンはフィアメンゴ教授に転向のきっかけを尋ねた。彼女は２０１０年の9・11同時多発テロだと答えた。そのエピソードが強烈である。当時、彼女はサスカチュワン大学の教員だった。テロのニュースを見て彼女は動転していたが、周りの教授たちはいかにも嬉しそうで（barely contained sort of vaunting pleasure）、満足気だった（certainly a kind of satisfaction）というのである。実際、テロが起きてから1時間も経っていないとき、出くわした同僚は彼女の前でこう言ったそうである。「ざまあみろ（They' ve got what they deserved.）」と。

2019年8月にも、ザ・ヤング・タークスのコメンテータであるハサン・パイカー（Hasan Piker）が「アメリカにとって9・11は当然の報いだ（America deserved 9/11.）」と自らのネット配信動画で語ったことが話題になった。左翼中核層のこうした本音を直に聞けば、浮動層は左翼運動と訣別することができるだろう。

米国の大学の左傾化については、統計的な分析も行われている。例えば、Klein と Stern は2003年に米国の学会会員に対して、過去10年間どの党の候補に投票したかを尋ねる大規模な調査を行った[15]。その結果、民主党と共和党への投票者の比は、人類学で30対1、社会学で28対1、哲学で13・5対1、歴史学で9・5対1、政治学で6・7対1、経済学で3対1であることが分かった。この傾向は表2・4（123頁）に示した日本の傾向にも非常に近い。

さらに、Rothman, Kelly-Woessner, Woessner による著書 "The Still Divided Academy" では、大学教員のうち民主党支持者の割合は、人文学で61%、社会科学で59%、自然科学で46%である一方、共和党支持者の割合は人文学で5%、社会科学で9%、自然科学で14%であるとの調査結果が紹介されている[16]。

大学に浸透する過激派

一点救いなのが、大学の教員がこれだけ政治的に偏っていても、学生はそれにほとんど影響されていないと考えられることである。右の本には、学年ごとの政党支持率の調査結果も報告されているが、1年生の民主党支持者は32%、共和党支持者は26%である一方、4年生はそれぞれ31%と27%でほぼ変化していない。1・7節で書いた通り、保守派の論客ベン・シャピーロは左翼好みのレポートを書いて好成績を取り続けたと自慢している。いつの時代も、学生は教員より一枚も二枚も上手である。

問題は、米国の大学の言論自由に対する妨害が、大学の外部からも行われていることである。米国にはアンティファ（Antifa）と呼ばれる集団がある。C.R.A.C.（元レイシストしばき隊）の米国版というと分かりやすいかもしれない（アンティファの方が歴史は古く、本家である）。実際、C.R.A.C. にはアンティファを真似ている部分が多く見られる。このアンティファが、保守系の人間が大学で講演会をすると聞くと、その大学のキャンパスに押しかけて妨害するなどの活動を繰り返しているのである。最近は、活動が過激化しており、人に向かって暴力を振るうこともしばしばである。

実際、2019年6月には、オレゴン州ポートランドでアンティファを取材していたフリージャーナリストのアンディ・ノー（Andy Ngo）が激しい暴力を受け、集中治療室に運ばれるほどの大けがを負う事件が起きた。ポートランドはアンティファの主要拠点の一つであり、警察も手を出せないほどの状況になっている。2020年 5月26日にミネソタ州ミネアポリスで黒人男性が白人警官の拘束により死亡した事件がきっかけで、全米各地で抗議の名を借りた大規模な略奪と暴力事件が多発したが、それを扇動したのもアンティファである。

何を言っているかではなく、何をやっているか

左翼は、社会的弱者やマイノリティの味方であると自称する。しかし、それが欺瞞であることは昔も今も変わりない。現実には、彼らは自分の政治イデオロギーに都合のいい弱者やマイノリティしか保護しない。自分に都合の悪い弱者は容赦なく潰す。実際、自分の邪魔になる新生児は殺していいと平気で言う。9・11同時多発テロを喜ぶ。被害者のことなど全く顧みない。性的マイノリティ（ゲイのデイブ・ルービン）や人種マイノリティ（ベトナム系2世のアンディ・ノー）であっても、左翼イデオロギーに従わないものには容赦しない。

左翼運動に騙されないために必要なことは、彼らが何を言っているかではなく、何を

やっているかに注目することである。弱者の味方を騙《かた》るが、現実には自分に従わない弱者には敵対する。多様性が大事だと言うが、左翼イデオロギーに従わない人間の言論は弾圧する。そうした行動に着目すれば、左翼中核層が目指すものは全てが自分の思い通りに動く独裁的な社会であることに気づくはずである。

第2章 参考文献

[1] マックス・ウェーバー、尾高邦雄訳『職業としての学問』岩波文庫（１９８０）

[2] 鈴木智之、古橋雄介、的場玲奈、劉志寰（アドバイザー教員：掛谷英紀）『安全保障について発信される情報の調査・分析』リスク工学グループ演習最終報告書（２０１５）

[3] 掛谷英紀『学問とは何か：専門家・メディア・科学技術の倫理』大学養育出版（２００５）

[4] 畑中允宏、村田真樹、掛谷英紀：新聞社説・国会議事録に基づく言論のイデオロギー別分類、言語処理学会第15回年次大会発表論文集, pp. 408-411（２００９）.

[5] 東宏一（指導教員：掛谷英紀）：国会議事録を教師信号とする大学内イデオロギーの分布推定、筑波大学工学システム学類卒業論文（２０１０）

[6] 掛谷英紀：『「先見力」の授業』かんき出版）（２０１８）

[7] ヨースタイン・ゴルデル、池田香代子訳『ソフィーの世界：哲学者からの不思議な手紙』ＮＨＫ出版（１９９５）

[8] マイケル・サンデル、鬼澤忍訳『これからの「正義」の話をしよう：いまを生き延びるための哲学』早川書房（２０１０）

[9] 砂畑涼『科研費ランキング　あの反戦学者に、いくら行員がつぎ込まれている?』雑誌正論pp. 154-161（2018）

[10] 鬼本真一郎、秋葉真吾、大渕敬之、山崎哲平（アドバイザー教員：掛谷英紀）『国際報道バイアスがリスク認知に与える影響』リスク工学グループ演習最終報告書（2010）

[11] 堀口悦子著『ジェンダー論』図書の譜：明治大学図書館紀要No.6（2002）

[12] 掛谷英紀『学者のウソ』SBクリエイティブ（2007）

[13] 赤川学『子供が減って何が悪いか！』ちくま新書（2004）

[14] ロバート・ゲラー『日本人は知らない「地震予知」の正体』双葉社（2011）

[15] Daniel B. Klein and Charlotta Stern, "How Politically Diverse Are the Social Sciences and Humanities? Survey Evidence from Six Fields," Academic Questions, Transaction Publishers（2004）

[16] Stanley Rothman, April Kelly-Woessner, Matthew Woessner, "The Still Divided Academy: How Competing Visions of Power, Politics, and Diversity Complicate the Mission of Higher Education," Rowman & Littlefield Publishers（2011）

第３章

左翼から人間性を守るために

権力を掌握したり、維持したりすることについては、国民議会も真剣なのである。だからこそ石橋を叩いて渡る。ひきかえ公共の利益となると、ほんとうはどうでも良いため、平気でバクチ同然の行動に出る。バクチ同然と呼ぶのは、革命派の行動が机上のものにすぎず、ちゃんと効力を発揮する保証がないからだ。

自分は間違っているかもしれないという不安を抱えつつ、世のため人のためにおずおず努力する者に対しては、かりに過ちを犯すことがあろうと、われわれは同情を寄せるし、一種の尊敬の念も抱く。医学を向上させるべく、愛児を恐るおそる実験台にする人物のことを思い浮かべてほしい。

エドマンド・バーク『フランス革命の省察』[1]

3·1 左翼が宗教も科学も尊重しない理由

最近、米国の左翼が公的な場所で「メリー・クリスマスと言うな」と主張しているのは、聞いたことがある人も多いだろう。キリスト教の押し付けで、信教の自由に反するというのが彼らの理屈だ。代わりに「ハッピー・ホリデイズ」という言葉を使うよう圧力をかけている。

1・1節で書いた通り、欧米の左翼はキリスト教を基盤とした西洋文明を敵視し、それを破壊することを目指している。もともと、共産主義が宗教を忌み嫌っていることは既に良く知られた事実だ。「宗教は民衆のアヘンである」というカール・マルクスの言葉は有名である。

宗教は迷信であり、自分たちは合理的、科学的思考の持ち主であることを左翼は自負している。「科学的社会主義」という言葉の存在が、その事実を裏付けている。しかし、科学を生業とする私から見ると、左翼の考え方は科学のそれとは程遠い。この点については、後ほど議論しよう。

私が米国の保守派を擁護する発言をすると、左翼から「おまえは進化論を否定するのか」と言われることがある。たしかに、米国の宗教右派に、学校で進化論を教えるのを禁じようとした勢力が存在するのは事実である。しかし、米国の保守が全員宗教右派と同じような考え方をしていると思っているなら、それは大間違いだ。

神がいると仮定すれば

前章で紹介した黒人の論客アンソニー・ブライアン・ローガン(Anthony Brian Logan)は保守派を自認しているが、自分はキリスト教徒ではないと言っている。また、キリスト教徒であっても、ある種の功利主義的な考えから教会に通っている人も存在する。

米国人の労働者階級二人組による「ブルー・カラー・ロジック(Blue Collar Logic)」というユーチューブ・チャンネルがある。そのうちの一人のデーブ・モリソン(Dave

Morrison）の話が面白い。彼の父は不可知論者（神がいるかどうかは人間には知りえないという考えの持ち主）だった。にもかかわらず、彼の父は毎週教会に通っていた。そこで、モリソンは不可知論者なのになぜ教会に行くのか父に聞いたそうだ。すると、父の答えは次のようなものだったという。「私は人間として良い生き方をしたいと思っている。週に一度、そのことを思い出すため、そして地域の人にその自分の思いを知ってもらうために教会に行くのだ。」

続けて、モリソンは自らの考えを語る。「神がいると仮定した方が人生は豊かになる。神がいないとすると、人生が終わったら何も残らないので、人々の記憶に残ることをしようとする。一方、神がいると仮定すれば、純粋に良い人生を生きることに集中できる。」ゆとり教育や入試改革のように余計な政策ばかり打ち出して社会を混乱させる日本の官僚を思い起こすと、無神論者は良いことよりも記憶に残ることを企てるというモリソンの意見は説得力がある。

リチャード・ドーキンス（Richard Dawkins）は著書『神は妄想である』[2]の中で、宗教があるから人間は戦争を始めるなど、悪いことばかりすると主張した。しかし、彼の議論には無神論に有利な証拠ばかりが恣意的に並べられており、共産主義無神論者がこれまで行ってきた虐殺の数々があまりに軽視され過ぎている。

宗教なくして社会の倫理を保《たも》つことができるのか。米国の人気保守系ネット動画チャンネルPragerUの主宰者デニス・プレイガー(Dennis Prager)は、無神論者が個人として倫理的に生きることは可能だが、社会全体で考えるとそれは難しいと主張する。ベン・シャピーロ(Ben Shapiro)は、西洋における人権思想の起源は神が自分の姿に似せて人間を作ったという旧約聖書の物語であると語る。前章で紹介した通り、現在、米国の左翼は出産直前まで妊娠中絶を認めよと主張しており、一部に生まれた後も殺していいと言う人までいる。こうした極論が生まれるのは、彼らが旧約聖書を背景とした人権思想を破棄した結果であるというのがシャピーロの主張だ。

理不尽を乗り越える物語

旧約聖書は神の怒りが発動される恐ろしい話が多く、日本では評判が悪い。しかし、プレイガーやシャピーロ、あるいはジョーダン・ピーターソン（Jordan Peterson）の旧約聖書の解説を聞くと、なるほどと思うことが多い。旧約聖書の物語に登場する神の理不尽な振る舞いは、この世界の理不尽に解釈を与えるためだというのが彼らの考えだ。この世の中は、理不尽なことに満ち溢れている。どんな善人でも不幸にして事故死したり、何の罪もない人々のところに天災が降りかかったりする。旧約聖書は、そういう理不尽を乗り越えて前向きに生きていくための物語というわけである。

私自身は科学者であり、神の啓示は信じていない。不可知論者あるいは理神論者に近い立場である。しかし、科学が万能であるとは思っていない。科学は事実に関する議論のみを守備範囲にしており、価値の議論はできない。さらに、事実に関する議論に限っても、科学がどれだけ進歩しても人類には知りえない領域があることも自覚している。

たとえば、非線形現象は100%の確率で予測するのは不可能なことが知られている(天気予報はその代表例)。

非科学的な左翼

2019年に出版されたシャピーロの著書"The Right Side of History"[3]で、西洋文明の発展はアテネ由来の論理的思考とイスラエル由来の宗教的世界観が両輪になっていると彼は分析している。西洋では、紀元前からアテネを中心に哲学が花開き、理性を突き詰める習慣があった。その後、一神教のキリスト教が広まったことで、「神が作った」世界全体に貫かれる普遍性に関心が向くようになった。この両者を結び付けたのが13世紀の聖職者トマス・アクィナスである。その結果、ヨーロッパでは科学的なものの考え方が広まったが、そこで多数の聖職者が貢献したのはそれが理由である。たとえば、地動説を唱えたニコラウス・コペルニクスや遺伝の法則を見出したグレゴール・ヨハン・メンデルが聖職者であったことは有名である。

科学者の私から見て、左翼が非科学的、さらには科学の破壊者に見える理由は、彼らがしばしば科学法則の普遍性を否定し、それと同時に人類に知りえない領域の存在も否定するからである。左翼にとっては、自分の思い込みが常に正しいのである。自分の頭の中にある世界観が全てというその姿勢は、サルトルの実存主義の影響を強く受けているように見える。

左翼は、自分の気に入らない宗教的教義に対して、しばしば科学を持ち出して批判する。それを見て、左翼は科学的であると騙される人も少なくない。しかし、その一方で自分の気に入らない科学的知見に対しては、彼らは自分の思い込みで平然と否定する。福島で風評被害をもたらしているデマはその典型である。たとえば、トリチウムの性質は、どこで排出されても同じで、その科学的性質には普遍性がある。だから、福島のトリチウムは危険なトリチウム、韓国の原発から排出されるトリチウムはきれいなトリチウムという主張は、われわれ科学者にとっては全く受け入れられるものではない。ところが、その種のデマを発する左翼は後を絶たない。その結果、大阪大学の菊池誠教授のように、もともと政治的にリベラルな考えを持つ科学者も、左翼の非科学的なデマを盛んに批判するようになっている。

現代における左翼思想の本質は、宗教の否定ではない。科学の尊重でもない。一言でいうと、自分は無謬で万能の神であるという信仰なのである。

3·2 理解できないものの存在意義

現代社会においては、あらゆるところでコンピュータのプログラムによる制御が行われている。普段の我々は、そうした情報システムに支えられて、当たり前のように便利な暮らしをしているが、時々システムが不具合を起こし、社会を混乱させるトラブルも発生する。トラブルが発生したとき、その原因の特定に時間がかかることも多い。我々のインフラを支える情報システムは非常に複雑であるため、その全貌を完全に把握している人がいないからである。システムの部品ごとに担当者がおり、それらが組み合わさって全体のシステムが成り立っている。一人の人間が理解できることは限られているのである。

左翼思想の持ち主の特徴は、自分という一人の人間が理解できることには限界があるという認識の欠如である。もちろん、彼らも自分が知らないことがあるという認識は持っているが、自分が理解できないものは存在意義がないと考えることで、自分の理解で世界全体を把握できているという自負を獲得している。科学のことは全く知らないのに、福島の放射性物質についてデマを広めるのも、そうした根拠のない自信に基づいていると考えると説明がつく。

理解できないもの

私自身、電子情報系の研究をしているので、研究室の学生と一緒に日々コンピュータのプログラム開発に取り組んでいる。その中に新人の学生が入ってくると、学校教育を通じて培われた彼らの左翼的考えが、研究を進める上での障害になることも少なくない。

以前、研究室でこんなことがあった。ある年、新入りの学生に一つの課題を与えた。私の書いたプログラムの一部を変えれば完成する、ごく簡単な課題だった。ところが、いつまで経ってもプログラムは完成しない。あまりに時間がかかるので、なぜうまくいかないのか、彼が書き換えたプログラムの中身を確認してみた。すると、当該箇所は正しく書き換えられている。しかし、プログラムは動作しない。よく見てみると、私が書いた重要な部分が一箇所消されていることに気付いた。その部分を復元すると、プログラムは意図通り動作した。

私はその学生に聞いてみた。「どうして、この部分を消したの？」すると、彼の答えはこうだった。「この部分は何をしているか分からなかったので、意味がないと思って消しました。」

自分が理解できないものは意味がないと考えて、その存在を消し去る。これは右で述べた左翼思想の特徴そのものである。しかし、この考え方では、システム開発の仕事はできない。繰り返しになるが、一人の人間の理解力には限界がある。だから、自分が理解できない部分についても、それが含まれてシステムが動作している以上、その部分に何らかの役割があるのではないかと考えながら作業を進めることが不可欠なのだ。

実社会の制度設計においても、左翼はしばしば自分が理解できないものは意味がないと考えて議論を進めることが多い。その典型例が「天皇制」を巡る議論である。左翼の多くは、「天皇制」そのものに反対である。

私自身も、左翼全盛期の学校教育を受けて育ったので、学生時代は「天皇制」に意味はなく、廃止してもいいと思っていた。しかし、今はその意義を合理的に説明できる。自分が理解できないものは無くしていいと考えた当時の自分の愚かさを恥じるばかりである。

国際舞台で動じない人々

「天皇制」の意義を真面目に議論すると長くなるので、一つだけ論点を提示しよう。青山繁晴氏の著書『壊れた地球儀の直し方』[4]に、興味深いエピソードが紹介されている。

1993年にシアトルで開催されたAPECでの出来事である。当時、日本の首相は細川護熙《もりひろ》、米国の大統領はビル・クリントン、中国の国家主席が江沢民であった。共同通信の記者として取材にあたった青山氏は、江沢民との二国間協議を控えたクリントン大統領が青ざめた顔で震えているのを目撃したそうだ。世界一の軍事力をもつ国の大統領であっても、世界一の人口を持つ国を率いる独裁者と相対するのは怖かったらしい。一方、細川護煕首相は、江沢民と首脳会談でも、全く緊張していなかったそうである。青山氏が細川首相に「なぜ緊張しないんですか？」と聞くと「なんで緊張するの？」と返されたとのことである。

ご存じの通り、細川元首相は熊本藩主細川家の出である。よって、幼少のころから要人に会う経験が多数あったと想像される。だからこそ、江沢民の会談を控えても全く動じなかったのだろう。世襲議員はしばしば批判の対象になる。しかし、国際舞台での振る舞いを観察すると、市民活動家上りの政治家は外国の首脳を相手におどおどした態度をとる一方、世襲議員は全く動じていないことが分かる。私のような小者は、文章では中国共産党を批判できても、習近平を目の前にすると顔を青くしてブルブル震えることは間違いない。

「天皇」「王」「貴族」は、幼少のころから世界の要人に会っているため、国際舞台で動じない胆力が培われているというところに、その存在意義を見出すことができる。昭和天皇がマッカーサーに相対して全く動じなかったこと、平民出身のチェンバレンが独裁者ヒトラーに譲歩を繰り返したのに対し、貴族出身のチャーチルはナチスドイツに毅然として立ち向かったことなどを思い起こせば、そのことがよく分かるだろう。このように、その存在意義が一見理解しにくいものでも、長く続いているものにはそれなりの深い意味が見出せることが多いのである。

目に見えないものの大切さ

私も人間なので、未だにその意義を理解できていない慣習は多くある。クリスマスに「サンタさんからのプレゼント」とつく「ウソ」はその一つである。私はその意義を理解できなかったが、多くの人が長い間続けている慣習なので、何か深い意味があると思って、自分の子どもが小さい頃は同じように「ウソ」をついた。

この「ウソ」の意義について、昔学生と議論したことがある。私の思いつく意義は「大人はウソつきだということを教えるため」という陳腐なものでしかなかったが、ある女子学生が「目に見えないものの大切さを教えるため」という意見を出したときには感心した。これは、私が今まで聞いた中で最も説得力のある「サンタ神話」の意義である。

自分が理解しているものがこの世の全てだという思想を持つ知識人は、しばしば「若いうちに読むべき本○○冊」といったリストを提示する。私は、これは非常に傲慢な考えだと思う。自分が読んでいない名著の存在を無視しているからだ。私も若いうちに読むべき本を聞かれることがあるが、そのときは「古くから読み継がれている本、大規模な宣伝なしにベストセラーになった本に名著は多い」とだけ答えている。特定の本を挙げると、私の知っている世界という限られた空間に若者を押し込めることになるからだ。

自分が理解できないものにも、この世に存在し続けている以上、何か意義があるのではないかと考えて尊重する精神。この精神を失ったとき、人間は暴走する。このことは、共産主義国家で繰り広げられてきた数々の惨劇が雄弁に物語っている。私がサンタクロースについて学生と議論したように、理解できないものの存在意義を話し合う機会を学校教育の場で是非とも設けて欲しいと思う。

3・3 「世界で一つだけの花」の後遺症

２０２０年2月には立て続けに大きな芸能ニュースが二つあった。一つは槇原敬之の逮捕、もう一つは中居正広の事務所独立である。この二つのニュースで思い出されるのが、槇原敬之が作詞・作曲し、ＳＭＡＰが歌った「世界で一つだけの花」である。

２００３年にリリースされたこの歌は大ヒット曲となり、当時は中学校などでも盛んに歌われたようである。当時の中学生と言えば、現在30歳前後の世代である。この曲がヒットしていた当時、私には一つ疑問があった。それは、この曲を歌っている人たちが、その歌詞をどのように解釈していたかである。私は二つの正反対の解釈がありうると思っていた。

一つは、自分は素のままでも独自性のある存在なのだから、宝飾品やブランド物のバックで飾らなくてもいい、特別なものは欲しがらない、他人の富や成功に嫉妬しないという解釈である。もう一つは、自分はもともと特別な存在なのだから、何の努力をしなくてもいい、それでも社会から支援されて十分なお金をもらう価値のある人間だという解釈である。実は当時、周囲の人にこの歌詞をどちらの意味で解釈しているか何度か聞いてみたことがある。誰に聞いても、そこまで深く考えていないという回答だった。ただ、深く考えていなくても、無意識にどちらかの解釈をとっているはずであると私は思っていた。

根拠のない自己肯定感

当時存命だった筑紫哲也は、この曲をいたく気に入っており、「反戦歌」として持ち上げていた。この歌詞を反戦歌と捉えるのは、どちらかというと後者の解釈をしているのだろうと考えていた。私は、前者の解釈ならこの歌はいい歌だと思うが、多くの子どもたちが後者の解釈で歌っているとしたら、将来困ったことになるのではないかと恐れていた。それから約10年後、この懸念は現実のものとなった。子どもの頃、「世界で一つだ

け の花」を歌って育った学生には、その歌詞に後者の意味で影響を受けたと思われる振る舞いが、しばしば見られるようになったのである。そのエピソードを2つ紹介しよう。

あるとき、学生に外国の学会から電子メールが来ているはずだと言った。彼は「来ていない」という。私はおかしいと思って「そんのはずはないけど。本当に来ていない？」と聞いた。そうすると彼は「絶対来ていない」と自信満々に言う。そこで「僕に検索させて」と言って、パソコンのメールボックスを検索すると、その学会からのメールが5秒で見つかった。

またあるとき、別の学生が学会発表の練習をすることになっていた。そこで始める前に「発表時間は何分？」と尋ねた。すると「分からない」と言う。私が「そんなはずはないでしょう。学会からのメールか学会のホームページには必ず載っているはずだけど」と言うと、彼は「絶対にない」と言い張る。そういう押し問答をしている横から、中国人留学生がその学会のホームページを調べて、「ありました。15分です。」と教えてくれた。

いずれのケースも、学生たちに共通するのは「根拠のない自己肯定感」であった。それが邪魔になって、ほんのちょっとした努力すら怠る。これはまさに、「世界で一つだけの花」の歌詞を後者の意味に解釈して歌い続けてきた結果育まれてきた価値観ではないかと強く感じたことを覚えている。ちなみに、「世界で一つだけの花」ブームを経験していないせいか、今の学生がこうした極端な反応を示す例に遭遇したことはない。

養老孟司氏は著書『超バカの壁』[5]で次のように書いている。

ナンバーワンよりオンリーワン、世界に一つだけの花だというような言い方が支持を得るのは戦後教育の賜物でしょうか。しかし、若い人にはこの逆を言ってあげないと救われないと思っています。あなたはただの人だと言うべきです。
（中略）
そもそも個性というのはあるに決まっている。そこに自信があればいちいち口に出すこともない。わざわざオンリーワンだ何だと声高にいうというのはその確信が弱いからこそだと思えるのです。

他人に認めて欲しい。だからわざわざ主張をするのです。

右に述べた学生の振る舞いを見るにつけ、養老氏の先見の明を感じずにはいられなかった。

冷戦後、「世界で一つだけの花」と同様に、根拠のない自己肯定感を高める教育を行ってきたのが、米国の学校教育である。その結果、米国のミレニアル世代は極端に左傾化している。自ら社会主義者であることを公言する米国大統領選の民主党有力候補バーニー・サンダースを熱狂的に支持しているのも、ミレニアル世代が中心である。

実は、根拠のない自己肯定感を高めると、左翼的考えを持ちやすくなる。その理由は、1・1節で書いた内容に関連する。該当箇所を引用しよう。

日本と欧米の左翼に共通する点は、いずれも自らの属する社会や文化を憎み、その破壊を意図していることである。その憎悪の感情は、過大な自己評価ゆえに、周囲

が自分を正当に評価していないと不満を持つことから生じている場合が多い。

つまり、根拠のない自己肯定感は過大な自己評価につながり、それが社会への不満を高めて左翼運動へのシンパシーを強めていくというわけである。

当然ながら、左翼は自尊心を強める教育の支持者である。彼らは、自己肯定感をもつことによってはじめて、人間は他人にやさしくなれると主張する。しかし、日本の「世界で一つだけの花」世代を見ていると、その主張は説得力が乏しいように思われる。

自分さえよければいい

右で紹介した中国人留学生が当時、研究室の同僚と学会から帰ってきたときに、私に話したことがある。学会で装置のデモをするため、大きな荷物を持っていったのだが、荷物の運搬で苦労している学生が横にいても、日本人学生は全く手伝う気配がなかったそうである。この例に限らず、「世界で一つだけの花」世代には、自分さえよければいいという行動が他の世代より多いように見えるのは気のせいだろうか。

なお、米国の学校教育で行われている自尊心を高める教育の実態は、米国 YouTube チャンネル PragerU の動画の一つ "Why Self-Esteem Is Self-Defeating" で紹介されている。日本語の字幕を私がボランティアで付けているので、字幕機能で日本語字幕を選んで是非ご覧いただければと思う。

3·4 東日本大震災の教訓

東日本大震災は我々に多くの教訓を残した。そこには、今我々が直面している危機とどう立ち向かうかを考える上でのヒントも多く隠されている。

最初に、私が個人的に体験したことを紹介しよう。震災当日、私は大学の研究室にいた。大学が震源に比較的近かったこともあり、水道管の破裂、長期間の停電、実験機器の損傷など深刻な被害を受けた。大学は停電で真っ暗となったため留まることができず、電車も全く動かなかった。幸い、駅周辺は電気が通っていたので、駅前のホテルのロビーで一夜を過ごすことになった。そのホテルは帰宅難民にロビーを解放し、翌朝には無料で炊き出しまでしてくれた。

数日後、本数は少ないが電車が動くようになったので、壊れた装置の後片付けのため、大学に通い続けていた。春休み中で、大学は閑散としており、電車やバスに乗っている人もほとんどいなかった。ところが、福島第一原発建屋爆発後の夜は、いつもはガラガラのバスが、スーツケースを抱えた留学生で超満員となった。

もちろん、私はその留学生たちを責めるつもりは全くない。日本人が海外で同じ目に遭えば、同じように振舞うであろう。しかし、コスモポリタニズムを唱える言論人たちは反省を要するはずだ。左翼は地球市民という言葉が好きであるが、ある国が危機に陥れば、その国の国民は留まって戦い、外国人は逃げる。私が目にした光景は、地球市民という理想の空虚さを示すのに十分すぎる説得力を持つものだった。

危機においてこそ、人間の本性が現れる。震災・原発事故で目立ったのは、学歴エリートである政治家・官僚・医師・企業経営者・マスコミ・評論家・学者等の自己保身である。東京電力の当時の社長は、最も大事な時に病院に雲隠れした。医師や有名評論家の中にも、関東から逃げ出す人がいた。

それとは対照的だったのが、一般の日本人に根付いた公共心・秩序・助け合い・思いやりなどの高邁な精神である。特に、原発作業員、消防士（レスキュー隊）、自衛隊員、警察官、消防団員、地元自治体公務員の働きは凄まじいものであった。映画『Fukushima 50』には、原発作業員たちの勇敢な働きが描かれている。その原作『死の淵を見た男』(門田隆将著)[6]には、私も大いに感銘を受けた。その一方で、隊員たちが命令に背《そむ》いて逃げたという捏造《ねつぞう》報道を、後日大々的に行った大手新聞があったことを忘れてはならない。

福島第一原発で冷却水の注入任務に当たった東京都消防庁のレスキュー隊の活躍も特筆すべきものがある。任務を終えた後の記者会見で、「一番大変だったことは?」と聞かれた冨岡豊彦総括隊長(当時)が「隊員ですね。隊員は非常に士気が高いので、みんな一生懸命やってくれました。残された家族には本当に申し訳ない。この場でお詫びとお礼を申し上げたい。」と涙ながらに答えたのが印象的だった。また、当時の石原都知事は、帰隊した隊員たちに深々と頭を下げて「本当にありがとうございました」と涙声で語った。

自衛隊も、ヘリコプターからの冷却水投下という非常に危険な任務を行った。ところが、この任務を命じた首相が隊員たちに直接感謝の言葉をかけたという話は聞かない。スペインは、福島第一原発事故に対応した消防・警察・自衛隊関係者に対して皇太子賞を授与したが、当時の日本政府は現場で危機を食い止めた人々に対して何の表彰もしていない。命を懸けて自国民のために働いた人々に対して、感謝の気持ちすら表すことができない政治家を選挙で国会に送り込んだのは我々国民である。そのことは決して忘れてはならない。

注目すべき防災の成功事例

東日本大震災は、日本に大きな傷跡を残したが、事前の備えが被害を防いだ防災の成功事例も少なくない。そういうところにも、日本人の現場力の高さを垣間見ることができる。

震災当日、東京スカイツリーは工事の最終段階で、タワークレーンで最上部を建設している最中であった。地震に対して最も脆弱な状態であったといえる。しかし、タワークレーンに制振用のダンパーを取り付けていたため、地震の大きな揺れにも拘らず、大きな被害を免れることができた。ごく短期間の工程に対しても、こうした大地震に備え

図３・１　普代村の宇留部水門（上）と太田名部防潮堤（下）

た対策をしていたことは特筆すべきものがある。

岩手県の普代村では高さ15メートルの普代村宇留部水門《ふだいむらうるべ》・太田名部防潮堤《おおたなべ》（図３・１）が村を守った。生前、この建設に尽力したのが、長く村長を務めた和村幸得《こうとく》である。本当に偉大な政治家は、その功績が死後評価されるのかもしれない。また、宮城県の仙台東部道路は、その盛土構造が防潮堤の役割を果たし、市街の中心部への津波流入を食い止めた。その発案に関わったのが東北大学の今村文彦教授である。

津波対策の成功事例を語る上で外せないのが、東北電力の女川《おながわ》原発である。津波対策として、建屋の敷地高さを約15メートルの高さに嵩上げして建設されていたため、津波の難を免《まぬが》れることができたのは有名な話である。しかし、対策はそれだけではなかった。津波は高波だけでなく引き波もある。引き波になれば冷却水の確保ができなくなる。それを考慮し、引き波時にも冷却水が残るような設計がなされており、それが東日本大震災のときにも機能した。

過去の資料を調べると、女川原発の原子炉設置許可申請書には、立地条件から「津波」

を明示的に示し、9ページにわたり評価の結果が記述されている。一方、ほぼ同時期に設置許可申請がなされた東京電力福島原発や中部電力浜岡原発では、「波高」等についての記述は1ページにも満たないものであった。

また、東北電力元副社長の平井弥之助《やのすけ》氏をはじめ、設置許可申請当時の原子力関係技術管理職名簿には、東北大学や仙台高等工業学校の卒業生など、東北出身者と思われる人が多い。福島原発や浜岡原発の名簿に東京大学出身者が多いのとは対照的である。後世にまで責任をもつ仕事は、学歴エリートではなく、郷土愛を持つ地元出身の技術者によってなされると解釈することも可能であろう。

現場が優秀すぎる日本

ノモンハンで日本軍と戦いソ連を勝利に導いたジューコフ元帥は、日本兵と現場指揮官を高く評価する一方、日本の高級将校を酷評した。それから約80年経ったが、日本の体質は何一つ変わっていないように思う。新型コロナウイルス問題も、マスコミに登場するエリートは文句ばかり言っているが、日本は他の国に比べて流行の第一波をうまく抑え込んだ。これも、自衛隊や病院で働く医療関係者など、最前線の現場で働く人々の能力の高さに負うところが大きいだろう。

私は日本で優秀なリーダーが育たないのは、現場が優秀過ぎてそれに甘えてしまうのも一因なのではないかと推察している。だから、我々が選ぶべきリーダーは、危機の最中に現場へ出向いて混乱を招く人ではなく、現場で働く人々を裏から支え、その働きに感謝することができる人ではないかと思う。我々に求められるのは、選挙でそういう素養を持つ政治家を見抜く眼である。

3・5 左翼が目指すのは法治の破壊

２０２０年5月、米国ミネアポリス近郊で黒人男性ジョージ・フロイド氏が警官に殺されたことを発端に、米国各地で激しい抗議活動が繰り広げられ、それは世界にも飛び火した。もちろん、抗議はあって当然だが、警察の予算削減や解体を求めるなど、その主張はエスカレートしていった。一部の抗議活動は暴徒化したが、左翼政治家やマスコミはそれを容認する発言や報道を行った。

この米国の混乱を見たとき、私は２００９年から２０１２年まで続いた日本の民主党政権を思い出さずにはいられなかった。本節では、日本の民主党政権を振り返ることから始めて、米国の暴動を論じたいと思う。

２０１１年の東日本大震災と原発事故の混乱のなか、私は当時小学生だった息子から次のような質問を受けたのを鮮明に覚えている。

「首相の言うことには全て従わないといけないの？」

あなたが小学生の子どもから、こう聞かれたらどう答えるか。その後、大学の技術倫理の講義などで、この質問を学生に何度かしたことがある。残念ながら、私が期待する答えをする学生は多くなかった。比較的多かったのが「命令の内容に納得すれば従う」という答えである。その一方で、「全て従わないといけない」と答える学生も少なくなく、「だったら、首相に死ねと言われたら死ぬのか」と聞くと、「はい」と答える学生もいて驚いた。

私は息子に対して次のように即答した。「日本は法治国家だから、首相が命令できることとは法律で決まっている。だから、法律に基づいた命令には従わなければならない。けれども、そうでない命令には全く従う必要はない。首相は自衛隊の最高指揮官なので、ヘリから原発に水を落とすような無意味で無謀な作戦でも、自衛官は命令に従う。でも、浜岡原発を止めるのは経産大臣の権限なので、首相の命令でも従わなくてよい。」

もちろん、この回答は中学の公民で習う知識の域を出たものではない。ところが、民主党政権には、この法治の原則を理解していないと思われる政治家が少なくなかった。右で述べた通り、菅直人首相（当時）が、越権行為で浜岡原発を止めるように命じようとしたことはそれを象徴する。２０１２年には田中真紀子文部科学大臣（当時）が、突然３大学の新設を認可しないと言い出して大問題になった。学校教育法95条には「大学の設置の認可を行う場合（中略）には、文部科学大臣は、審議会等で政令で定めるものに諮問しなければならない。」とある。３大学について、諮問機関である大学設置・学校法人審議会は認可を出していたので、文科大臣がそれを覆《くつがえ》すのは明らかに法を無視した越権行為であった。

法治国家ができるまで

息子とのやりとりで、私はこう話を続けた。「日本は法治国家だが、世界には法治国家ではない国もある。たとえば、中国や北朝鮮のような独裁国家の場合、独裁者の気に入らないことをすれば、法律に関係なく処罰されるだろう。実は、昔はほとんどの国がそうで、王様の気に入らないことをすれば、処罰されることもあった。」

これを聞いた息子は、次のように質問してきた。

「昔は王様が治めていた国々が、どうやって法治国家になったの？」

この質問をされたときは少し焦った。親の威厳が試されているようで、頭の中にある知識をフル回転させた（それゆえ、私はこの質問を「パパ検定」あるいは「ママ検定」と呼んでいる）。世界史を学んだことのある人なら、真っ先に思い浮かぶのはマグナ・カルタとフランス革命であろう。

イギリスは、議会が王と話し合うことで、王の権限を徐々に弱めてきた。そうして、徐々に今の法治国家の形に近づいてきたわけである。こうして法治国家になった国では、話し合いによる合意文書や裁判における判例の積み重ねそのものが法になる。いわゆる慣習法（コモン・ロー）である。一方、フランスは革命で王を殺してその権限を奪い取った。この場合、話し合いの積み重ねがないため、誰かが一から法律を作らなければならない。フランスのナポレオン法典に代表される成文法がそれである。

日本の場合は、江戸城無血開城など、話し合いで近代国家になった側面があるが、欧米からの遅れを取り戻して一気に近代国家になるために、ヨーロッパ大陸の法律を借りてきた事情から、成文法の国になっている。私は以上のことを、小学生にも分かるようにかみ砕いて説明したことを覚えている。

慣習法と自然科学の類似性

成文法に慣れている日本人にとって、慣習法というシステムは奇異に見えるかもしれない。しかし、ローレンス・レッシグの著書『CODE』[7]を読むと、慣習法の考え方の優れた点がよく分かる。同著において彼は、インターネットの普及で生じる新たな社会問題に対して法的に対処する方法を、慣習法の考え方に基づいて導き出している。

日本でインターネットが普及し始めた頃、新たなテクノロジーで生じる問題に対処するため、早く立法で対応しなければならないという主張がしばしばなされた。これは、まさに成文法的な発想である。しかし、慣習法に基づくレッシグの考え方は全く異なる。人類の歴史において全く新しいと思われる問題も、過去に遡れば構造の類似した問題を探すことができる。そこで、人間がどのような解決を図ってきたかを見ることで、新規の問題についても解決の道筋が見えてくる。レッシグは著作権、プライバシーなどインターネットで新たに生じている問題と似た対立構造を持つ過去の事例を探し出し、その事例でどのような決着を見たかを踏まえて、あるべき解決の方法を導出している。

こうした慣習法の考え方は、過去の人間がこれまで行ってきた数多の実験や観察の上に新たな知見を積み重ねていく自然科学の手法と類似性が高い。また、岡本薫氏は著書『世間さまが許さない！――「日本的モラリズム」対「自由と民主主義」』[8]で、日本は文化的に成文法より慣習法の方が向いているのではないかと述べている。

法治を嫌う左翼

話を米国の暴動の話に戻そう。この米国暴動とそれを支持する人たちを見て私が強く感じたのは、法治の著《いちじる》しい軽視である。これは左翼に見られる典型的な態度である。不法移民に対して寛容なことも、彼らの法の軽視を象徴する。それを目立たなくするため、歯向かう人に「移民反対の外国人差別主義者」とのレッテルを貼る。しかし、実際には不法移民に厳しい政策を望む米国人の多くは、合法の移民には反対していないのである。

この米国暴動においても、法の軽視が被害を招いている例があった。日本ではほとんど報道されていないので、デービッド・ドーンの名を知る人は稀有《けう》だろう。彼は元警官の黒人で、暴動に乗じて商品を盗んだ暴徒を止めようとして殺された。その後捕まった犯人は、2014年にも強盗をして懲役7年の判決を受けたのに、保護観察になっていた人物であることが分かった。刑が法律どおり執行されていれば、この殺人事件は起きなかったのである。こうした減刑の背景に左翼による政治的圧力がある。新型コロナウイルス流行を理由に、米国の左翼が受刑者の釈放を求めたことは記憶に新しい。彼らは一貫して法を犯す者に甘い。

左翼が警察を極端に嫌うのも、それが法の執行機関だからであると考えると説明がつく。法治を尊重する者は、法に違反した警察官に対して、法に基づく処罰を求める。法治を尊重しない者は、警察を解体して革命を起こそうとする。シアトルでは警察が立ち入りできない自治区ＣＨＡＺ（Capitol Hill Autonomous Zone）が作られたが、その内部では殺人を含めたあらゆる犯罪が野放しになった。

民主党のシアトル市長とワシントン州知事は見て見ぬふりを続けて、長期間にわたって警察や州兵を動かさなかった。約一ヶ月経って、シアトル市のダーカン市長が漸く警察を使って自治区の制圧に乗り出したのは、活動家が市長宅の前に集まり抗議運動をした直後のことである。市民の命を守ることには関心がないのに、自分に身の危険が迫ると本気を出すその態度は、いかにも左翼らしい。

しばしば、暴徒たちは左翼ではなくアナーキスト（無政府主義者）ではないかとの指摘を受ける。しかし、自治区で彼らがやったことは、武装による警備、みかじめ料の徴収、IDによる入境管理であった。これらはアナーキストのやることではない。彼らは既存の法律を無視するので一見アナーキストに見えるのかもしれないが、結局は自分が支配者になりたいだけなのである。

なお、シアトルの自治区CHAZは、途中でCHOP（Capitol Hill Organized Protest）と名称を変えたが、この言葉には斬首（ギロチン）の意味がある。実際、シアトルの自治区で暴徒の次のようなやりとりが動画として記録されている。

リーダー「フランス革命に賛同しなかった人がどうなったか知っているか？」
仲間たち「首を斬られた（Chopped）」
リーダー「もっと大きな声で」
仲間たち「首を斬られた（Chopped）」
リーダー「これが俺たちのメッセージだ。真面目な話だ。冗談ではない」

世の中には、左翼が犯罪者に見せる情に騙される人がいる。しかし、彼らは自分に従わない者、さらには政治的に利用価値のない者には決して情を見せない。彼らが犯罪者に甘いのは、治安が乱れると革命を起こしやすくなるからである。敵に対しては暴力の行使を全く躊躇しない。左翼が目指すのは暴力による法治の破壊であることを我々は見誤ってはいけない。その先にあるのは、独裁による恐怖政治である。

3・6 家庭教育という社会資本

新型コロナウイルスの第一波において、日本は欧米よりも被害を小さく抑《おさ》えることができた。欧米に感染が広がっていない頃は、日本でもトイレットペーパーの買い占めがあり、マスコミは日本の民度の低さを揶揄《やゆ》していた。しかし、欧米に感染が広がると、その買い占めの規模は日本を遥かに超えるものだった。

日本のマスコミはダイヤモンド・プリンセス号乗客の船内隔離を批判し、一般市民に対しても検査をもっと増やすべきだと繰り返した。しかし、クルーズ船乗客の早期下船や積極検査などの対応を行ったイタリアでは、医療崩壊により感染が拡大し、大量の死者を出すに至った。マスコミの言うとおりにしていたら、日本も大変なことになっていたと想像される。こうしたマスコミの無責任な意見に安易に流されないところに、日本の民度の高さを感じる。さらに、緊急事態宣言発令後において、日本は他国のように法的強制力がないにも拘わらず、ほぼ全ての国民が自粛に協力したことも、日本の民度の高さを象徴するものであった。

日本での被害が欧米ほど広がっていないことに、日本にいる留学生も驚きを隠しきれないようで、その理由は何かと聞かれることがある。２００９年の新型インフルエンザ流行のときも、日本は他国に比べて被害が小さかった。充実した医療制度、対人距離をとる社会習慣、衛生に関する国民意識の高さなど、種々の要因は既に挙げられているところである。私はそれらに加えて、家庭教育という社会資本がまだ残っていることを挙げたい。特に、マスコミの情報に国民が流されにくい点は、家庭教育に依るところが大きいと思われる。

１章で述べたように、米国の家庭崩壊は深刻である。リンドン・ジョンソン大統領（民主党）が１９６５年に始めた「貧困との戦い」プログラムにより、シングルマザーが政府から手厚い支援が受けられるようになり、男性が家庭に対する責任を安易に放棄する事態を招いた。2016年の婚外子の割合は、日本は2・3％である一方、米国は39・8％に上っている（欧州の国々も、40％～50％台のところが多い）。これが、子どもの教育に与える悪影響は大きい。父のいない子供は貧困に陥り犯罪に走る確率が5倍、学校で落第する確率が9倍、刑務所に入る確率が20倍高いという米国のデータは、1・5節でも紹介した通りである。

家庭を破壊した共産主義

家庭教育が行き届かないと、子どもは学校やメディアの影響をより強く受けるようになる。これも1章で述べたが、米国では冷戦終結後、社会の油断の隙を突いて、左翼が学校、メディアに深く浸透していった。彼らに叩き込まれた左翼思想が家庭で矯正《きょうせい》されないまま大人になったのが、現在バーニー・サンダースのような社会主義者を支持しているミレニアル世代の若者というわけである。

マルクス、エンゲルスの『共産党宣言』[9]が家族の廃止を謳っていることから分かるように、共産主義者は彼らの理想を達成する上で家庭教育が邪魔になることを理解している。だから、米国の左翼は家族を崩壊させる社会政策をとり、その目的を達成した。過去には、より過激な形で共産主義者が家族を破壊した例もある。ポル・ポトが子どもを親から引き離したことは有名である。

日本も学校やメディアの左傾化では米国に負けていないが、若者の左翼政党支持率が低い背景には、家族の解体が進んでいないことがある。マスコミや学校がいくら全力で左翼思想を叩きこんでも、家庭教育がそれを解毒してしまう。これは私自身も子供の頃に経験している。同様に、新型コロナウイルス問題でマスコミが国民を社会が混乱する方向に誘導しようとしても、家庭教育が邪魔をして国民がついてこない。当然、左翼にとっては面白くない。だから、日本の左翼にとって喫緊の課題は、強固な日本の家族をいかに弱体化するかである。でなければ、彼らの理想は達成されない。彼らの目下の目標は、同性婚と夫婦別姓の導入である。

同性婚と夫婦別姓問題で難しいのは、それに賛成しているのは必ずしも左翼に限らないことである。リベラリズムやリバタリアニズムの立場で、これらの政策を支持している人も少なくない。その一方で、家族解体論者が、その手掛かりとしてこれらの問題を利用しようとしているのも事実である。女系天皇支持者の中に、天皇廃止論者が混じっているのと似た構造である。私は、左翼の家族解体論者の影響力を削《そ》ぎつつこれらの問題を解決する方法として、従来の婚姻制度に同性婚と夫婦別姓を認めるのではなく、フランスで行われている連帯市民協約（民事連帯契約）としてこれらを導入するのが良いと考えている。これは18年前に書いた拙著『日本の「リベラル」』[10]で先駆けて述べている古くからの持論である。

私は多様な生き方は否定しない。しかし、現実に全ての人が自分の好き勝手に生きれば社会は回らない。われわれが今のように便利で安全な暮らしができるのは、その影で多くの人が必要な仕事を地道にこなしているからである。左翼はしばしばそれを無視する。労働者の味方を気取りながら、現場の労働者に冷たいのが彼らの特徴である。だから、現場で働く医師・看護師や検査を行っている技師の負担など全く考えずに、もっと検査を増やせと言う。家族にも、こうした地道な仕事と同様の社会的役割がある。だから、例外への配慮はしつつ、基本の形は残す必要がある。

アニメに描かれる家庭

日本において、家族のロールモデルを維持する役割を果たしているものに、漫画やアニメの存在がある。これも留学生の指摘で気づいたことである。彼らは、日本のアニメには家族愛で溢れていると言うのである。ドラえもん、クレヨンしんちゃん、ちびまる子ちゃん、サザエさんなどがそれに該当する。特に最初の3つは世界中で見られているアニメである。

われわれ日本人はこれらのアニメを見て、家族愛を感じることはあまりないだろう。のび太くんやしんちゃん、まる子ちゃんは、いつもお母さんに叱られてばかりである。

それは、日本ならばどこの家庭にもある日常的な光景である。しかし、世界はそれを失いつつあるのだ。親が愛情をもって子を叱るという家庭教育を。

ストックホルム大学留学後、外交官として在スウェーデン大使館に勤務した経験をもつ武田龍夫氏は著書『福祉国家の闘い―スウェーデンからの教訓』[11]で、同国における次のようなエピソード（ルンド大学のポールソン教授の小論文からの引用）を紹介している。

一世紀を生きてきた老人に大学生が尋ねた。「お爺さんの一生で何がもっとも重要な変化でした？」と。彼は二度の世界大戦か原子力発電か、あるいはテレビ、携帯電話、パソコンなどの情報革命か、それとも宇宙衛星かなどの答えを予測した。前世紀から現在までという、まさに人類史でもっとも出来事の多い時代を生きた老人だったからだ。しかし老人の回答は彼の予想もしないものだった。「それはね――家族の崩壊だよ」。

人間にとって、当たり前に存在するものの価値に気づくのは簡単ではない。でも、われわれにとっては幸運なことに、それを失った人々が世界には大勢おり、彼らがその価値をわれわれに教えてくれている。私はそこに、左翼とは正反対の意味で国際交流の意義を見出すのである。

3·7 自分勝手の左翼・自集団勝手の右翼

リチャード・ドーキンスが『利己的な遺伝子』[12]を著したのは1976年である。私がこの本を読んだのは大学1年生のときだが、人生で最も影響を受けた本の一つである。人間の行動を決定づけるのは遺伝子と文化子（ミーム）である。遺伝子で規定された行動は生得的に決まっているが、人間には生後、教育等を通じて定まる行動パターンもある。遺伝子、文化子のいずれに基づく行動も、その持ち主が生き残るようなものでなければ後世に残っていかない。一見、自己犠牲に見える行動も、同じ遺伝子や文化子を持つものが生き残るような犠牲でなければ、その行動の持ち主はこの世から消えてなくなる。この発見は、その後進化ゲーム理論という一大学問分野を生み出した。

進化ゲームについては、これまでも面白い研究が多数行われてきた。その先駆者はジョン・メイナード＝スミスである[13]。マット・リドレーは著書『徳の起源』[14]の中で、道徳も集団が生き残るために生まれたものだという議論を展開している。さらに、大浦宏邦著『人間行動に潜むジレンマ―自分勝手はやめられない？』[15]には、大変興味深い研究が紹介されている。

進化ゲーム理論においては、各行動がもたらすコストと報酬、および各個体の生き残りの条件をルールとして定め、どの行動戦略をとるものが最も生き残りやすいかを計算機シミュレーションや社会心理実験などを通して調べる。そこで分かったことの一つは、人間の生き残り戦略は自分勝手戦略と自集団勝手戦略に大別されるということである。

自集団勝手というのは聞きなれない言葉だろう。これは、自分が属する集団の害になる行動をとる人に対して、自分でコストを払って制裁（サンクション）を与える戦略のことである。新型コロナウイルスによる緊急事態宣言発令中に問題になった「自粛警察」と呼ばれる人たちのことを想像すると分かりやすい。

当然ながら、集団の構成員が自分勝手なことばかりしていると、全員が死んでしまう。だから、構成員が互いに協力するような方向に行動が進化する。しかし、一旦みんなが協力するようになると、数人は協力しなくても集団は生き続けられる。その結果、自分だけの利益を追求する自分勝手戦略をとる人間が現れる。ただ、それを見て皆が自分勝手に戻ってしまうと全滅する。そこで、自分勝手な人にコストを払って制裁を与える人が現れる。それが自集団勝手な人というわけである。

残念ながら、完全に利他的な戦略をとる人々は生き残れないのが自然界の掟である。そういう人々は、周りの集団からの収奪を受けて死に絶えるだけである。だから、ある集団が非武装中立を謳ういわゆる平和主義者だけになれば、その集団は一瞬に滅びるという結論を進化ゲーム理論は導く。彼らは自己防衛能力のある集団のごく一部の自分勝手な存在としてのみ生き残れるというわけである。

よって、政治的な軸に当てはめると、自分勝手な人は左翼、自集団勝手な人は右翼に相当すると考えられる。（ただし、たとえば有名劇作家の問題発言を、演劇関係者が一斉に擁護する姿勢は、演劇界という非常に狭い集団の自集団勝手と見ることもできる。本当の意味で自分勝手なのは左翼のリーダー格に限られると言えよう。）もちろん、左翼はしばしば博愛主義者であるかのように自らを装うが、それはあくまで自分勝手な真の姿をカムフラージュするためのものでしかない。

同じ集団の中で、どういう人が自分勝手に走り、どういう人が自集団勝手に走るかという点は興味深い。本能に近い動物的欲求が強い人は自分勝手に走りやすいのではないかというのが私の仮説である。

快楽への欲求を抑えられない左翼

進化ゲーム理論とは別に、行動経済学という学問分野がある。そこに1・8節でも紹介した双極割引理論という興味深い理論がある（これについてはジョージ・エインズリー著『誘惑される意志』[16]が詳しい）。この理論によると、人間を含む動物には未来の価値を過剰に（指数関数的ではなく双極関数的に）割り引く傾向がある。こうした人間の選好は、社会心理実験による裏付けもなされている。人間はそうした目先の欲求を理性で抑えようとするわけであるが、それがうまく働かない人は自分の欲求を満たすために自分勝手な行動に走りやすくなると考えられる。

実際、左翼には快楽への一次欲求を抑えられずに犯す問題行動が少なくない。左翼政治家、作家、ジャーナリストや写真家によるセクハラや性暴力は、保守系の人に比べると明らかに多く見られる。また、麻薬に走る人も左翼に多い。米国でも、大麻などの麻薬解禁を積極的に訴えているのは左翼である。昔、東浩紀氏が『動物化するポストモダン』[17]仲正昌樹氏が『ポストモダンの左旋回』[18]を著したが、両者を合わせるとここで述べた左翼の動物的欲求の強さと関連づくことになる。

家族を大切にする保守派

左翼と比べると、保守系の言論人は家族に対する愛情が深い人が多い。実際、妻に先立たれて、その後を追う保守言論人は少なくない。自ら命を絶った江藤淳氏、西部邁《すすむ》氏はその代表例である。また、自殺ではないが、保守思想の持ち主として知られた俳優の津川雅彦氏も、妻の死後半年もしないうちに亡くなった。

一方、左翼言論人はそれとは対照的な人が多いように見える。私の知り合いに、ある左翼言論人（仮名Ａ）の妻を担当した医師がいた。私が「奥さんが亡くなったとき、Ａさんは悲しんでいなかったでしょ」と聞くと、「なんで分かるの？」と驚かれた。左翼は家族への愛が薄いという経験則に基づく私の予想は見事的中した。私は普段、娘のいる人には「将来左翼より保守系の男性に嫁がせた方がお嬢さんを大事にしてもらえる可能性が高いよ」と助言するようにしている。

ただし、保守派の家族愛も良いことばかりではない。それがしばしば周りに迷惑をかける自集団勝手の形をとることも少なくない。知事が税金で息子の絵を買ったり、政党の党首が息子や夫を当選させるために党首の職責を投げ出したりといった行為がそれに該当する。いずれも保守系の政治家にその実例が見られる。自民党に世襲議員が多いのも、家族優先の自集団勝手の顕《あらわ》れの一つと見ることができるだろう。

人間は自分勝手か自集団勝手にしかなれない業《ごう》の深い生き物である。自然の摂理の下で生き続ける限り、その業から逃れることはできない。われわれにできるのは、その業を自覚して謙虚に生きていくことだけである。

第3章 参考文献

[1] エドマンド・バーク、佐藤健志訳『[新訳]フランス革命の省察 「保守主義の父」かく語りき』ＰＨＰ研究所（２０１１）

[2] リチャード・ドーキンス、垂水雄二訳『神は妄想である―宗教との決別』早川書房（２００７）

[3] Ben Shapiro, "The Right Side of History: How Reason and Moral Purpose Made the West Great," Broadside Books（２０１９）

[4] 青山繁晴『壊れた地球儀の直し方』扶桑社新書（２０１６）

[5] 養老孟司『超バカの壁』新潮新書（２００６）

[6] 門田隆将『死の淵を見た男 吉田昌郎と福島第一原発の五〇〇日』ＰＨＰ研究所（２０１２）

[7] ローレンス・レッシグ、山形浩生訳、柏木亮二訳『ＣＯＤＥ―インターネットの合法・違法・プライバシー』翔泳社（２００１）

[8] 岡本薫『世間様が許さない！―「日本的モラリズム」対「自由と民主主義」』ちくま新書（２００９）

[9] マルクス、エンゲルス、大内兵衛訳、向坂逸郎訳『共産党宣言』岩波文庫（１９５１）

[10] 掛谷英紀『日本の「リベラル」 自由を謳い自由を脅かす勢力』新風舎（2002）
[11] 武田龍夫『福祉国家の闘い―スウェーデンからの教訓』中公新書（2001）
[12] リチャード・ドーキンス、日高敏隆訳、岸由二訳、羽田節子訳、垂水雄二訳『利己的な遺伝子』紀伊國屋書店（1991）
[13] ジョン・メイナード＝スミス、寺本英訳、梯正之訳（1985）『進化とゲーム理論―闘争の論理』産業図書（1985）
[14] マット・リドレー、岸由二監修、古川奈々子訳『徳の起源―他人をおもいやる遺伝子』翔泳社（2000）
[15] 大浦宏邦『人間行動に潜むジレンマ―自分勝手はやめられない？』化学同人（2007）
[16] ジョージ・エインズリー、山形浩生訳『誘惑される意志』NTT出版（2006）
[17] 東浩紀『動物化するポストモダン オタクから見た日本社会』講談社新書(2001)
[18] 仲正昌樹『ポストモダンの左旋回』世界書院（2004）

第4章

中国共産党とどう戦うか

正真正銘の戦争の役割が小さくなったとはいえ、それは戦争の終焉を意味しているわけではない。われわれはいわゆるポストモダン、ポスト工業化の時代に生きている。しかし、戦争の構造は完全に解体されたわけでなく、より複雑で広く、より隠蔽された微妙な形で新たに人類社会に侵入してきたのである。

喬良　王湘穂『超限戦　―　21世紀の新しい戦争』[1]

4·1 左翼の敵は「自然」である

中国武漢で発生した新型コロナウイルスは、世界的なパンデミックをもたらした。過去約30年の間、中国は経済的にも軍事的にも順調に成長を続けてきた。しかし、今回の疫病による混乱は、中国にとって大きな転換点になる可能性が高い。

改革開放路線を始めて以降、中国は東西冷戦終結と経済のグローバル化を追い風にして、人、モノ、金、情報の自由な移動が可能となった国際社会の新たな枠組みを最大限に利用してきた。冷戦時代には東西の間に壁があったため、東側諸国は自由主義国の発展を自国内に取り入れることができなかった。その結果、共産主義国は冷戦に敗れた。今、中国は自由主義国から何でも自由に取り入れる一方、自国から出ていくものは独裁体制によって完全に管理することができる。外国の技術は盗み放題だが、自国の情報は徹底的に管理できる。この非対称な競争では、独裁国が自由主義国に勝利するのが自然の成り行きである。その非対称なゲームのルールを変えようとしたのがトランプ政権の対中政策である。しかし、米国は民主主義国である。バイデンのような親中派が大統領になれば、非対称なゲームに逆戻りする可能性もある。

高まる中国共産党批判

民主主義国では選挙でリーダーが変わる。選挙にはお金が必要である。その弱点を突いて、中国が民主主義国の政治家にお金をばら撒いてその影響力を行使していることは公然の事実である。たとえば、クリントン財団が中国政府と緊密な中国系企業から多額の寄付金受けていたことは有名である。日本でも2019年末、秋元司《つかさ》議員が中国企業から賄賂《わいろ》を受けたとして逮捕されたが、この種の話で表になっていないものが他に多数あっても全く不思議はない。こうした汚いお金の使い方が自由にできるのも、独裁国家の強みである。

このように、自由な交流が可能なグローバル社会では、金持ちの独裁国家は異常に強い威力を発揮する。この状態が続けば、数十年後、中国共産党が国際社会を支配する暗黒の世界が訪れる可能性もゼロとは言い切れない。

私は普段、米国のメディアや政治系ユーチューバーをウォッチしているが、新型コロナウイルスの封じ込めに失敗した今回の中国政府の対応に、多くの米国人は極めて批判的である。自国民に感染が及んでいることもあり、中国への嫌悪感を露《あら》わにする人は多い。また、トランプ政権になって以降、中国を経済的・軍事的脅威と見る知識人は増えており、彼らの中にはこれを好機と捉《とら》える人も少なくない。実際、ウィルバー・ロス商務長官は、中国で工場を稼働していた米国企業が新型コロナウイルス感染を恐れて中国から撤退すれば、米国に雇用を戻すのを助けてくれるだろうと期待を寄せる発言を行った。

左翼思想の肝《きも》は、世の中を自分の計画通りに動かすことである。だから、左翼計画主義者にとって最大の敵は「自然」である。人間の行動はお金を使ってコントロールできるが、自然はお金では制御できない。ウイルスは賄賂で言うことを聞いてはくれないのである。人間が自然を完全に支配できるという幻想が崩れたとき、左翼計画主義は機能不全に陥る。

左翼計画主義の誤謬

左翼はしばしば、自然すらも自分の意図通りに動かせるのではないかという錯覚にとりつかれる。それを象徴するのが気候変動に対する左翼の態度である。人間の活動により排出される温暖化ガスがどの程度気候変動に影響しているかは、諸説あり私にも判断はつかない。ただ、人間が温暖化ガスを大量に排出する前から、地球が温暖化と寒冷化を繰り返してきたことは歴史的に動かぬ事実である。人間が温暖化ガスの排出を止めれば気候は長らく安定するという考えは、人間の思い上がりでしかない。これまで、人類は大きな気候の変化に何とか適応して命を繋いできたのである。そして、それは人間が排出する温暖化ガスとは関係なく、今後も繰り返されていく。

「左翼」という言葉を明示的には使っていないが、右で述べた種の人間の思い上がりを痛烈に批判した本が、２００３年に出版され４００万部を超えるベストセラーになった養老孟司著『バカの壁』[2]である。私が左翼計画主義と呼んだ考え方を、養老氏は「ああすればこうなる」型の思考と呼んでいる。都市は人間の脳によって創られた世界で、あらゆるものが人間の計画通り進むようにできている。一方、自然は人間が創ったものではないから、人間の思い通りには動いてくれない。ところが、都市化された世界で暮らす我々は、自分たちの予期通りに動かない自然の存在を忘れがちである。そもそも、人体は自然であり、病気も自然である。だから、人々が全く想像をしなかったような病気が突如猛威を振るうこともある。

実は、先進国の左傾化は、都市化の進行と大いに関係しているのではないかと私は考えている。あらゆることが計画通りに進む環境にいれば、左翼計画主義の考え方に陥っても不思議ではない。実際、日本でも欧米でも、都市部では左翼政党が選挙に強く、田舎では保守政党が強い。毎日予想のつかない自然を相手に暮らしていれば、左翼の語る計画主義にシンパシーを感じられないのは当然である。

養老氏は、過剰な都市化が人間に及ぼす悪影響を解毒するために、昔の参勤交代のように、一定期間田舎で暮らすようにしてみてはどうかと提案している。その実現はなかなか難しいかもしれないが、世の中には予想がつかないこと、人間には制御できないことがあると肌身で経験する機会は必要だろう。それを多くの現代人が手軽に経験できる仕掛けをこれから模索していかなければならない。

4·2 新型コロナ問題　中国共産党との戦い方

１·１節の論考をネット媒体に発表したのは２０１９年８月である。当時、そこで書いた論考が具体的に役立つ局面がこんなに早く訪れるとは全く想像していなかった。私が書いたことは、既に始まっている中国共産党との戦いを進めるのに必要な知見が山ほど詰まっている。

中国共産党は現代における左翼のボスと言えるだろう。それゆえ、その行動パターンも左翼の王道を行っている。最たるものは、加害者であるのに被害者のふりをすることである。そもそも、新型コロナウイルスのパンデミックにおいて、中国政府が加害者であると認識している日本人は果たしてどれだけいるだろうか。

このウイルスは、たまたま運悪く中国で発生し、不可抗力として世界に広がったわけではない。ＳＡＲＳ、鳥インフルエンザなど、中国がしばしば新たな病気の感染源になるのは、衛生管理に問題があるからだ。中国政府には、問題が度重なり生じても、有効な改善策をとってこなかった責任がある。さらに、今回の新型コロナウイルス問題では、中国当局の初期対応にも著しい瑕疵があった。

2019年12月の段階で、武漢の医師たちは異常に気づいていた。殉職した李文亮医師は有名だが、その前にSARSとの類似性、ヒト‐ヒト感染を確認し警鐘を鳴らしていた艾芬《アイフェン》医師もいた。しかし、彼女はその後行方が分からなくなっている。粛清による隠蔽工作が行われたと考えられる。台湾当局も2019年12月に中国でヒト‐ヒト感染が疑われる事案が起きているとWHOに警告していたことを証拠付きで公表している。

しかしながら、2020年1月初旬に中国政府はヒト‐ヒト感染の証拠はないと語り、WHOは1月14日に中国政府の情報をそのまま世界に向けて発信した。WHOが限定的ながらヒト‐ヒト感染の存在を認めたのは1月19日になってからである（ただし、1月30日時点でも中国外でのヒト‐ヒト感染は限定的だと発表していた）。中国政府は1月23日に武漢を封鎖したが、その後も中国人の外国への渡航を制限せず、むしろ渡航制限を試みようとする諸外国を糾弾した。その結果、春節に大量の中国人が海外に渡航し、ウイルスが世界中にばら撒《ま》かれた。中国以外の国が発生源であったならば、全くあり得ない対応である。

孤立を恐れ、感染拡大を容認か

なぜ、ここまで対応が酷《ひど》かったのか。中国共産党は、中国が世界経済から切り離されて孤立することを恐れたからだと考えられる。中国内だけで病気が拡大すれば、諸外国は中国抜きのサプライチェーン確立に動く。そうすれば、中国共産党の支配は大きく揺らぐことになる。病気が世界に拡散すれば、他国も疾病対策に追われ、中国だけが不利を被ることはなくなる。中国共産党の過去の蛮行を考えれば、彼らがこのように考えていた蓋然性は高い。

たとえ、中国共産党にウイルスをばら撒く明確な意図がなかったとしても、右で述べた状況を考えれば、ウイルスが世界にばら撒かれても仕方ないという未必《みひつ》の故意が彼らにあったことは間違いない。だから、これが刑事事件であれば、中国共産党の殺人罪は十分成立する。

中国共産党の唯一の関心事は、自らの権力の維持と拡大である。そのためには、どれだけ多くの命を奪うことも厭わない。それは、今回の新型コロナウイルス問題に限った話ではなく、「大躍進」、「文化大革命」、「ウイグルでの核実験」、「天安門事件」、「チベット・ウイグルでの少数民族弾圧」などをみれば分かる通り、中国共産党のDNAに刻み込まれた思想である。

中国共産党のプロパガンダ攻勢

今後、中国共産党はあらゆる手を使って、新型コロナウイルス問題による自らのダメージを最小限に抑え、あわよくばこの事態を悪用して自らの権力を拡大しようと目論《もくろ》むであろう。実際、中国外務省の趙立堅副報道局長は、新型コロナウイルスが米国起源だと発言した。さらに、フランスへの医療支援に中国の５Ｇを導入することを条件にしたとの報道もある[3]。

中国共産党の最大の武器は、世界において影響力のある人物を、裏金やハニートラップなどの手段を用いて、自らの操《あやつ》り人形にしていることである。ＷＨＯで中国の操り人形なのはテドロス事務局長だけではない。エイルワード事務局長補も、香港のジャーナリストから台湾に関する質問をされたとき聞こえないふりをし、重ねて質問されるとテレビ会議を切る対応をとった。

中国共産党は日本を含む世界中のメディアにも広く深く浸透している。トランプ大統領が「中国ウイルス」と言ったとき、世界のメディアは一斉にトランプ大統領を攻撃した。右で述べた通り、もともとは中国高官が新型コロナウイルスは米国起源だと言ったことへの対抗措置だが、それをまともに報じないので、トランプだけが悪く、中国が被害者のような印象が生じる。

日本のメディア報道を見ても、国民の怒りが政府や自粛しない国民に向くような作りのものが多い。しかし、そうやって国民を分断して誰が得をするかを冷静に考えた方が良い。既に述べた通り、中国政府が適切な対応をとっていれば、日本はこの疫病に巻き込まれることはなかったのである。われわれが怒りを向けるべき対象は、何をおいても中国共産党であることを忘れてはならない。

中国共産党の強みと弱み

そもそも、中国共産党によるプロパガンダ戦はずっと前から行われてきた。環境団体が先進国の温暖化ガス排出を厳しく批難するのに、世界で最も温暖化ガスを大量に排出している中国を全く批難しなかったのはなぜか。その背後に中国政府の存在があることは既に指摘されている通りである[4]。その結果、先進国の産業基盤は弱体化し、中国は世界の工場の地位を得ることができた。

また、先進国、中でも日本と欧州では緊縮財政派が幅を利かせてきた。それで弱体化した先進国経済の隙間を縫《ぬ》って、中国は世界経済への影響力を強めてきた。日本でも、財務省の緊縮政策が中国頼みの経済構造を生んできた。日本の緊縮財政派にも中国政府の影が背後にあることは、高橋洋一氏が財務官僚時代の体験談として、中国のハニートラップの仕掛けを受けた経験を語っていることからも容易に想像できる。

中国共産党の強みは、どんな汚い手を使うことも厭わないことである（その詳細については、クライブ・ハミルトン著『目に見えぬ侵略 中国のオーストラリア支配計画』[5]を参照）。裏金やハニートラップを使って、国際機関、環境団体、先進国の政治家、メディア、官僚などを操り、その支配力を世界全体に広げてきた。この手強い彼らにプロパガンダ戦で勝つためにはどうすればよいか。

そのヒントは、私が本書でこれまで書いてきたことに隠されている。「なぜ人は共産主義に騙され続けるのか」（1・1節）をよく理解し、「左翼のプロパガンダ戦略とは」（1・2節）何かを十分把握し、「左翼を論破する方法」（1・7節）を身に着ければ、プロパガンダ戦の達人である中国共産党に打ち勝つことも十分可能である。

中でも、1・7節で紹介したベン・シャピーロの知見は参考になる。一番大事なのは、先制攻撃でレッテルを貼ることである。まずは、中国共産党は新型コロナウイルスの拡散により世界の人を百万人以上殺した殺人犯であるという認識を世界中に徹底させることである。これは右で述べた通り論理的に正当化されるものであって、左翼が普段やるようなウソによるレッテル貼りではない。正しいレッテルを貼ることには何の躊躇も必要ない。

ナチスに匹敵する「チャイナチ」

そもそも、中国共産党がこれまで行ってきた文化大革命、天安門事件、少数民族弾圧などの悪事の数々は、ナチスに匹敵するものである。まさに「チャイナチ」と呼ぶに相応しい。にもかかわらず、その認識が世界に定着しなかったのは、先進国の人々にとって、自分が被害者ではなかったからである。残念ながら、人間は自分が被害者にならないと真剣にならない。だから、流石に今回ばかりは、先進国の市民も黙ってはいないだろう。

ただし、ここで注意しなければならないのは、敵は中国共産党であって、一般の中国人でないことを明確にすることである。本節の冒頭で述べた通り、左翼の最も得意とするのは、加害者であるのに被害者のふりをすることで、自らの罪を免れる戦法である。中国批判をすれば、それを中国人への人種差別に議論をすり替えてくることは間違いない。中国共産党に批判対象を絞ることで、人種差別と言いがかりをつける余地を奪うことができる。


もちろん、中国共産党は全く油断ならない相手である。先進国に浸透させてきた親中派を使って、全力で中国の擁護をさせようとするだろう。しかし、中国共産党がナチスと同レベルの極悪組織であるとのレッテルを定着させてしまえば、中国を擁護するのは難しくなる。だからこそ、レッテル貼りの先制攻撃が大事なのである。

本書で繰り返し述べてきたように、左翼には良心の呵責《かしゃく》はない。そういう人間たちを相手にするときは、こちらも心を鬼にして臨《のぞ》まなければ、相手に呑み込まれる。ここで中国共産党を止められなければ、ジョージ・オーウェルが『1984年』[6]で描いた全体主義の世界が待っていることを我々はよく自覚せねばならない。緊急事態宣言に伴う自粛で不自由を感じた人は多いだろうが、中国に呑み込まれてチベット人やウイグル人と同じ運命を辿《たど》れば、われわれが奪われる自由はその比ではない。これは人類の自由の未来がかかった、絶対負けられない戦争なのである。

4・3 新型コロナ問題を拡大させた左翼と新自由主義の共存共栄

前節で述べた通り、新型コロナウイルス問題において最も大きな責任はあるのは、情報を隠蔽するとともに、他国による中国からの入国制限に反対して感染者を海外に旅行させ、ウイルスを世界中にばら撒いた中国共産党であることは間違いない。しかし、中国共産党には重要な共犯者がいることを忘れてはならない。それは新自由主義を掲げるグローバリストである。彼らが推進してきたグローバリズムが、ウイルスの世界的拡散を容易にするとともに、医療物資不足で被害を拡大させたことも見落としてはならない事実である。

そもそも、中国の急速な経済成長の裏には、新自由主義者の多大な貢献があった。中国の安い労働力を使って利益を上げようと考えた新自由主義者たちは、資本の国際的移動の自由を推進してきた。1990年代、天安門事件やチベット弾圧など、中国を巡る人権問題に対する国際世論の関心が今より高かったことは、1997年に映画『セブン・イヤーズ・イン・チベット』がヒットしたことからも分かる。同様に、中国の知的財産権軽視も世界から問題視されていた。東西冷戦の余韻も残っており、独裁的な政治体制に対するアレルギーも今より大きかった。にもかかわらず、2001年のWTO加盟に象徴されるように、中国が国際社会の中に取り入ることができたのはなぜか。それは、「国際秩序に取り込めば、中国はルールに従うようになる」という新自由主義者のウソに人々が騙されたからである。

敵の敵を味方にして失敗する米国

米国の政界では、民主党に中国のシンパが多い。クリントン財団と中国との癒着、ジョー・バイデンの息子ハンター・バイデンと中国との蜜月関係などは有名である。バラク・オバマも大統領の任期を通じて中国には一貫して融和的で、それが中国の南シナ海軍事要塞化を許す結果となった。

一方、共和党には中国シンパはほとんどいない。これが日本の保守勢力との大きな違いである。私は共和党の中心に宗教右派がいることが、この違いの背景にあると考えている。前節でも述べた通り、中国、ソ連をはじめとする共産主義勢力は昔からハニートラップを好んで用いるが、性の戒律を守る宗教右派には効かない。これが性にだらしない日本の保守政治家との大きな違いである。（もちろん、日本の左翼政治家がもっと性にだらしないことは、昨今の不祥事から明らかである。）

ただし、中国が国際社会に取り込まれていったのは、共和党のジョージ・W・ブッシュが大統領だった8年間である。なぜ、共和党政権下でそれが可能だったのか。その最大の理由は、２００１年の９・11同時多発テロ以降、米国がイスラム過激派を最大の敵と考えるようになったからである。歴史的に、共和党には敵の敵を味方にして後々禍根《かこん》を残す政治家が多い。ソ連に対抗するために中国と手を結んだニクソンと同様に、ブッシュもイスラム諸国に対抗するため中国と手を結んでしまった。

当時、共和党の政治家の多くも、新自由主義者のウソに騙されていたようである。元米国下院議長のニュート・ギングリッチ（共和党）は、著書"Trump vs. China"[7]において、「私も他の人々と同様に、中国をWTOに加盟させることが大きな前進になると信じていた。それで中国共産党の指導者たちは法に基づいて行動することを学ぶと甘く考えたのだ」と告白している。

騙され続ける日本人

しかし、トランプ政権になって、米国は大きく方針転換をした。中国の国際的野心が明らかになった今、共和党の政治家の中国に対する見方は非常に厳しいものになっている。右で紹介したギングリッチも、中国に世界の覇権を握らせることの危険に警鐘を鳴らしており、今後米国は中国との対決姿勢を強めるべきと主張している。もともと親中的だった民主党の議員もそれに追随せざるをえないようで、２０１９年末に米下院はウイグル人権法案を超党派で可決した。ジョー・バイデンも、民主党大統領候補予備選の討論会では、中国の全体主義を批判するコメントをせざるをえなくなった。

とはいえ、米国の民主党支持者のなかに、新型コロナウイルス問題は中国よりもトランプの責任が大きいと答える人が６割もいる（２０２０年４月）点[8]は、重く見ておく必要があるだろう。米国の民主党支持者の左傾化はそこまで深刻な状況である。その背景に、チャイナマネーで汚染された米国大手メディアの影響がある。

米国の議員たちが反中姿勢を強める一方、日本の与党議員は新型コロナウイルス問題が起きるまで、一貫して親中的な姿勢であった。中国発のウイルスが世界に蔓延し始めている状況でも、ぎりぎりまで習近平を国賓として来日させようとしていたことは記憶に新しい。日本人の多くは、まだ新自由主義者のウソを信じているように見える。

なぜ、日本人はここまで騙され続けるのか。左翼と新自由主義者は正反対のように見えて、実はウィン・ウィンの関係にあることに多くの人が気づいていないことが最大の問題であると私は考える。日本の保守派は、しばしば朝日新聞、毎日新聞、中日新聞（東京新聞）などの左派メディアを敵視する。しかし、中国にとって最も好都合なメディアは、中国への投資を盛んに奨励してきた日本経済新聞だったということを見落としてはいないだろうか。中国にとって新自由主義者が好都合なのは、彼らが人権に全く関心がないからである。それゆえ、中国共産党が中国国内で人権弾圧を加速させても、金儲《かねもう》けの機会さえ与えれば、新自由主義者は中国に積極的に投資し続けた。

実は、左翼と新自由主義者は互いを批判しつつも、その価値観には重なる部分が多い。自分の利益だけの最大化を目指すという意味で、メタレベルの価値観を共有しているのである。最も注目すべきは、両者ともにエリート選民思想の持ち主であるという点である。いずれも、一般市民に対する強烈な見下しがある。だから、左翼は市民から政治的な意思決定権を奪おうとし、新自由主義者は労働者の賃金を限界まで減らそうとする。両者とも自分さえよければいいという利己的な価値観の持ち主なので、平気で人権を蹂躙する。つまり、前者は政治的な独裁、後者は経済的な独裁を目指しているという点において、互いに似通っているのである。

左翼にとってありがたい新自由主義

先進国の内部に限っても、左翼と新自由主義者にとって、互いの存在は自らの野望の実現に大きなメリットがある。新自由主義的政策で国内の貧富の差が拡大すると、人々の不満が溜まって社会主義革命が実現しやすくなる。だから、左翼にとって新自由主義者は非常にありがたい存在である。一方、新自由主義者も共産主義への嫌悪を自らの支持に転嫁して、人権無視の商売を正当化できる。さらに、グローバリストの新自由主義者は、たとえ自分が住んでいる国で革命が起きても、事前にそれを察知すれば、築いた富を海外に持ち逃げして豊かな生活が継続できる。むしろ、左翼どうしは独裁的政治権力という同じものを求めるので、革命後権力の座を争うことになる。

本節冒頭で述べた通り、新型コロナウイルスが世界全体に急速に拡散したのは、新自由主義者が推進してきたグローバリズムで、国際的な人の移動が大幅に増えたからである。新型コロナウイルスが中国で流行している状況下においても、新自由主義者は目先の商売の利益に囚われて、中国からの入国制限に反対した。さらに、新自由主義者が進めたサプライチェーンの国際化が、マスク不足に代表されるように、必要な物資を調達できないことによる被害拡大につながった。この事態を見れば、さすがに鈍感な日本人も新自由主義の抱える問題に気づいたのではないだろうか。

これを機に、中国共産党と新自由主義という二つの独裁思想と訣別《けつべつ》できるとすれば、新型コロナ後の世界は明るい。

4・4 新型コロナ第一波を総括する

政府は２０２０年5月14日、39県について新型コロナウイルス流行に伴う緊急事態宣言の解除を発表し、続いて5月21日には近畿の３都道府県、そして5月25日には残る5都道県ついても解除を決定した。日本政府の対応には色々な批判はあったが、死者数でみると日本の対応は明らかに他国よりも優れていたと言えるだろう。その成功の要因は何か、逆に日本の弱点は何だったかについて、総括しておくことは重要である。

社会の危機は、普段覆い隠されている物事の本質を曝け出す作用を持つ。そして、本当に必要なものと、実は不要なものが無慈悲に露呈《ろてい》する。これは東日本大震災のときも同じであった。東日本大震災において活躍したのは、原発作業員、消防士、自衛隊員、警察官、消防団員、地元自治体公務員などの現場の最前線で働く人たちだった。今回も、現場の医療従事者や自衛隊員の活躍は凄まじかった。その一方で、現場の足を引っ張ったのは、またしてもマスコミや評論家、そしてテレビに出たがる自称専門家たちであった。

福島第一原発事故後も、放射性物質の与える影響について、一部の自称専門家がテレビの情報番組や週刊誌、書籍などを通じて煽動《せんどう》的な発言を繰り返した。そのような発言をしたのは、主に原子力に何らかの関わりのある工学研究者や放射線を専門外とする医学関係者であって、放射線医学の専門家ではなかった。中には、2015年には放射性物質の影響で日本には住めなくなると主張する著書まであった[9]。この著者は、今でもその発言の責任をとることなく、言論活動を続けている。

学会で活動する真の専門家であれば、科学的に裏付けのない情報を発信すれば、学会における自らの立場が危うくなる。しかしながら、当該分野の専門家でなければそうしたリスクはない。また、原発事故については、真の専門家が「御用学者」とのレッテルを貼られて発言に疑いを持たれたことで、発言の機会を封じられることが多かった。その結果、人の恐怖心を煽る言論がさらに勢いを増すことになった。

専門家が独自に情報発信

これと似たことが、今回の新型コロナウイルス問題でも繰り返された。テレビでコメンテーターとして登場したのは、学会から干された非主流派の医師や、そもそも医療関係の資格をもたない自称専門家であった。彼らは、口を揃えて盛んにPCR検査拡充を主張した。その無責任な意見に従わなかったことが、医療現場の混乱を防いで日本の成功をもたらした要因の一つになっている。

今回の新型コロナウイルス問題における社会背景で、東日本大震災のときと最も違うのは、SNSが普及していたことである。もちろん、2011年時点でもツイッターは使われ始めており、物理学を専門とする東京大学の早野龍五《りゅうご》教授（当時）が、放射能に関する情報を積極的に発信し、風評被害が広がるのを防ぐのに貢献した。しかし、当時ツイッターで情報発信をしている専門家はごく少数であった。私自身、当時からツイッターアカウントは持っていたが、読むのが専門（いわゆるＲＯＭ）で自分から情報発信は全くしていなかった。

しかし、今は多くの専門家がＳＮＳで自ら情報発信をしている。ツイッターでは新型コロナウイルス感染症対策専門家会議にも出席している今村顕史《あきふみ》医師や西浦博《ひろし》医師が積極的に情報発信をしていた。また、ツイッターでフォロワーを多く抱える影響力の大きい医師たちも、専門の医師たちを援護射撃した。ＥＡＲＬの医学ツイートや救急医Ｔａｋａ（木下喬弘《たかひろ》医師）、峰宗太郎医師はその代表例である。また、これまではフォロワーが少なかったが、この援護射撃に加わってフォロワー数を伸ばした仲田洋美《ひろみ》医師や萩野《はぎの》昇《のぼる》医師などもいる。

ＰＣＲ検査拡充の弊害は、そもそも陽性と分かっても治療法がないこと、偽陽性や偽陰性などの検査精度の問題があることによるもので、右に述べた医師たちはこれらの論点を丁寧に説明していた。偽陽性・偽陰性がもたらす弊害は、ベイズの定理と呼ばれる理論で説明できる話で、私も大学のパターン認識の講義でいつも話す内容なので、それを素人にも分かりやすく説明する動画を作って微力ながら援護射撃に加わらせていただいた。

偏向報道の終わり

また、ツイッター以外のＳＮＳからも重要な情報発信がなされた。高山義浩《よしひろ》医師は、ダイアモンドプリンセス号に乗り込んで現場を混乱させるとともにマスコミを通じて政府や現場の批判を続けていた岩田健太郎医師に対して、フェイスブック上で反論を行った。さらに、ベルギーから帰国してテレビ朝日の取材に応じた澁谷泰介《しぶやたいすけ》医師は、そこで行われたテレビ局の偏向した編集をフェイスブックで暴露した。澁谷医師は、ＰＣＲ検査の数を増やすべきというコメントを繰り返し求められたのに対し、今の段階でＰＣＲ検査をいたずらに増やそうとするのは得策ではないとその都度コメントしたそうである。にもかかわらず、欧州でのＰＣＲ検査は日本よりかなり多いというコメントだけが切り取られて、それにテレビ出演のコメンテーターがPCR検査を大至急増やすべきだとの発言をかぶせて報道された。澁谷医師の暴露を受け、テレビ朝日は訂正報道を行わざるを得なかった。

このように、マスコミが好き勝手偏向報道をできる時代は終わりつつあるのは、非常に喜ばしいことである。そもそも、新型コロナウイルスへの対応は人の命がかかった問題である。その問題について、偏向した情報発信を続けたテレビ局の情報番組の関係者は万死に値する。逆に、それに対抗して彼らを打ち負かした医師たちには最大限の称賛を送るべきであろう。

実は、私はこれまで最も学力の高い人たちを医学部にとられることに釈然としないものがあった。そもそも大学入試で出題される理数系の問題を解く能力は、医学部よりも理工系の学部に入ってから役立つものであって、医師にとってはオーバースペックなものを求めていると考えていたからだ。しかし、今回の新型コロナウイルス問題は、その考えを改めるきっかけになった。日本の医師が適切な対策をとれたのは、彼らの数理能力が高いからである。右で述べたベイズの定理に対する理解はその一つである。米国の医師の会見動画などを見ると、標本の偏りに対する考慮に欠けるなど、統計の基礎がわかっていないと思われるケースがしばしば見られる。それに比べると、日本の医師の数理能力の高さは際立っている。

また、感染症対策を議論する上で必須の知識である指数関数や微分方程式を理解している点も、日本の医師の強みである。これが今回の新型コロナウイルス対策で生きたのは間違いない。それと対照的だったのが、東大文系出身の評論家たちである。彼らの数学音痴は目を覆いたくなるものばかりであった。たとえば、ある評論家は

日米の差は医療や生活習慣のような「変数」の問題ではない。ＳＩＲモデルで変数を多少いじっても、被害はほとんど変わらない。これは微分方程式の「係数」の違いで、原因はおそらく自然免疫。それを分析しないと、根本的な解決策は見つからない。

とツイートしていたが、これだけで彼が微分方程式を全く理解していないことがよく分かる。微分方程式は初期値と係数を決めれば、変数の動きは自動的に定まるからである。結局、文系エリートの多くは、理解していないことを理解しているかのように話すのが得意な人種に過ぎないということだろう。

ここで一つの疑問が湧くかもしれない。それは、PCR検査を増やせと言っていたのは、善意だが分かっていない人なのか、分かっている悪意の人なのかである。これに対する答えを導く上で思い出していただきたいのが、本書冒頭の1・1節で書いたことである。実際には、日本の医療崩壊を意図している悪意の人(左翼中核層)と、単に頭が足りない人(左翼浮動層・デュープス)が混ざっていると考えられる。

このうちの後者の人々に目を覚まして欲しいという思いで、2020年5月11日に私が

私も現政権の政策には不満が山ほどあるし、政権批判は積極的にすればいいと思う。

しかし、防疫《ぼうえき》に失敗して死者がたくさん出れば政権が転覆できると思って、あらゆる妨害をする人たちと行動を共にしていいかどうかは、自分の胸に手を当ててよく考えて欲しい。

とツイートをしたところ、150万インプレッションを超える大きな反響があった。左翼からは陰謀論だとの批判があったが、それからあまり時間が経たないうちに、フジテレビの番組「バイキング」で、新型コロナウイルスによる日本の死者数の少なさに関して次のようなやり取りがタレントの間で行われた。

「なんか結果オーライみたいなね。」
「俺も最初から言ってた。このまま収まれば自分たちはすごかったんだってことになる。」
「それだけは絶対に許さない。」

もちろん、このタレントたちはお金をもらって台本通りに話している左翼利権層である。しかし、この台本を書いた人は悪意の左翼中核層と考えて間違いないだろう。

また、別のタレントは、今回の政府による新型コロナウイルス対策の成功は「マグレ」であると評した。これも3・2節で書いた通り、「自分が理解できないものは存在意義がないと考えることで、自分の理解で世界全体を把握できているという自負を獲得している」という左翼の特質を如実に表したものと言える。

医療従事者を敵に回した左翼

3・1節で書いた通り、左翼は「しばしば科学法則の普遍性を否定」し、「自分の思い込みが常に正しい」と考える。よって、左翼は自然科学者とは敵対する運命にある。

これまでも、左翼は非科学的な主張を続けることで、自然科学分野の敵を徐々に増やしてきた。「緑のダム」（ダムや堤防に頼らない治水）という妄想で土木工学者を敵に回し、放射能デマで物理学者を敵に回し、現実離れした自然エネルギー推しで電気工学者を敵にまわした。しかし、理工学者というのは政治力もなく、口下手でコミュニケーション力もない。そのため、左翼に十分対抗するだけの力が無かった。

ところが、今回の新型コロナウイルス問題で医療現場の足を引っ張り続けることで、左翼は医療従事者のほぼ全員を敵に回した。さらに、国会で立憲民主党の議員が、医療従事者の尊敬を集める尾身《おみ》茂《しげる》医師を国会の場で侮辱したことがとどめを刺した。医師は理工学者と違って政治力もあり口も立つ。左翼の横暴に立ち向かう上で、我々は非常に強力な味方を得たのである。

4・5 日中間の技術開発競争の行方

現在、大学では運営費交付金の削減、研究論文の本数や引用数の低下、博士課程の定員割れ、博士号取得者の雇用難などが問題になっている。今後、こうした問題が日本の研究力の低下をもたらし、将来的にノーベル賞受賞者を輩出できない国になるのではないかといった議論が盛んに行われている。

これらの問題は、主に理学系、生命系の研究者の関心事である。著者自身は情報系、工学系を専門にしているので、事情は若干異なる。工学分野は企業からの資金援助が受けやすく、また博士号取得者でも企業に就職しやすい。しかし、工学系は工学系で別の問題を抱えていることはあまり知られていない。

そこで、本節では、最初に現在懸念されている研究力低下の問題に対してデータに基づく分析を行い、次に普段あまり語られていない工学系の研究現場で起きている問題を紹介することにする。

ノーベル賞受賞者数を研究力のバロメーターにするならば、まずは過去の受賞者のデータを見るところから始める必要があるだろう。

２０１９年にノーベル化学賞を受賞した旭化成名誉フェローの吉野彰氏までの自然科学分野での日本人（後に外国に帰化した人を含む）ノーベル賞受賞者と、その生年（西暦下２桁）を並べると次のようになる。

06 朝永振一郎、07 湯川秀樹、
18 福井謙一、
21 南部陽一郎、25 江崎玲於奈、26 小柴昌俊、28 下村脩、29 赤崎勇、
30 鈴木章、35 根岸英一、35 大村智、36 白川英樹、38 野依良治、39 利根川進、
40 益川敏英、42 本庶佑、44 小林誠、45 大隅良典、48 吉野彰、
54 中村修二、59 田中耕一、59 梶田隆章、
60 天野浩、62 山中伸弥

（敬称略）

注目すべきは、1907〜18年生まれと1948〜54年生まれの間にある空白である。前者については、研究に最も打ち込める30代に戦争を経験した世代であり、大きな研究成果を得るのは不可能に近かっただろう。一方後者は、その前後の吉野彰氏、中村修二氏、田中耕一氏の3人が博士課程に進んでおらず、いずれも企業における研究成果による受賞であることを考えると、大学の研究という意味では1945〜59年の生まれの間の大きな空白と見ることもできる。

左翼学生運動の後遺症

この原因の一つとみられるのが、1947〜49年生まれの団塊の世代が当事者であった70年安保闘争である。左翼学生運動が大学の研究教育活動を妨害し、施設を破壊したことの後遺症が、この知の空白を生んだと考えられる。2章で述べた通り、2015年の平和安全法制制定時も、主に文系の大学教員とごく一部の学生に、大学を拠点に反対運動を盛り上げようとする動きがあったが、そういう政治的動きが大学で過激化、暴徒化することが、研究力の維持に対する最大の脅威の一つであることがわかる。

また、当然ながら、これまでのノーベル賞受賞者は、全て1990年代の大学院重点化より前に学生時代を過ごしている。博士課程の定員割れ、博士号取得者の雇用難といった問題は、大学院重点化で大学院の定員を増やしたゆえに起きている現象である。大学院進学者が少なかった時代に多くのノーベル賞受賞者を生んでいること、さらに博士課程に進学していないノーベル賞受賞者も多数輩出されていることを考えると、博士号取得者が計画通り増えないからといって、今後ノーベル賞級の研究ができなくなるという結論にはならない。

著者の専門分野に話を移そう。情報系、工学系では、日本の優位がまだ残っている分野と、日本が完全に後れてしまっている分野がある。まだアドバンテージがあるのはハードウエア分野である。もちろん、ここでも日本の優位性は小さくなっているのは事実である。筆者の専門分野の一つである電子ディスプレイについても、10年前までは日本企業に存在感があったが、民主党政権が超円高政策で日本の製造業に致命的なダメージを与えて以降、産業の中心は韓国、台湾、中国にとって代わられた。

しかし、研究については日本もまだある程度勝負できている。最大の理由は、国内に優良な部品を作れる中小企業がたくさんあることだ。これが、新しい実験装置や試作機を作るのに非常に役立つ。筆者自身、国際会議などで「お前の使っているこの部品はどこで購入できるのか?」と聞かれることがよくある。ハードウエア分野の研究力を維持する上で、日本国内の中小製造業がもつ技術やノウハウは、今後も大事に守っていく必要がある。

中国に遠く及ばない日本

一方、ソフトウエアについては、日本は完全に後れをとっている。今流行の人工知能分野でも、米国勢や中国勢が先行しており、日本は全くついていけていない。筆者の専門分野の一つに人工知能を使った医療画像自動診断があるが、同分野のトップカンファレンスである「ＭＩＣＣＡＩ（Medical Image Computing and Computer-Assisted Intervention）」でも、２０１８年の会議における中国、韓国からの参加者数が全体の４位、５位を占める一方、日本はトップ10にも入っていない。

発表件数も全体で３００件以上ある中、日本からの発表は筆者を含めて１桁にとどまっている。２０１９年開催された腎臓がんの自動検出の国際コンペにおいても、１０６の参加チーム中、中国からの参加が半数以上を占めた。トップはドイツチームだったものの、中国チームも多数上位に食い込んでいた。筆者を含む研究グループは、日本からの参加チームの中ではトップだったが、中国の上位勢には及ばない状況である。

今の中国は、人工知能以外でも、宇宙、エネルギー、計算機など、軍事的優位を築くことに資する研究分野に重点的に投資をしている。これまでの米国の戦略と同じである。

一方、日本はというと、ご存じの通り、日本学術会議の声明の影響で、多くの主要大学で防衛装備庁の安全保障技術研究推進制度に学内の教員が応募できない状態である。

今関心を集めている自動車の自動運転技術も、米国ではＤＡＲＰＡ（防衛高等研究計画局）のグランド・チャレンジで、スタンフォード大学、カーネギーメロン大学、マサチューセッツ工科大学（ＭＩＴ）などの名門大学が技術を磨いてきた歴史がある。そうした軍事技術の積み上げは、当然民生への応用を考える場合も大きなアドバンテージになる。防衛関係の研究を大学が禁じる日本が、軍事研究に力を注ぐ米国や中国に太刀打ちできないのは当然である。

モラルなき中国勢

さらに、中国勢には、もう一つ大きな武器がある。それは、ペナルティーがないなら平気でモラル違反をすることである。例えば、学会では予稿集に論文を投稿しておきながら、学会へ発表に来ない「ノー・ショー（No Show)」と呼ばれる行為がある。予稿集が学会後に出版される場合は、ノー・ショーの論文は削除されるが、同時出版の場合は削除されずに実績となる。

中国の研究者は、このノー・ショーを行う確率が非常に高い。また、ポスター発表で、ポスターを貼っただけで何の説明もしない「貼り逃げ」行為もしばしば見られる。実際、私が参加した学会で貼り逃げ行為をカウントしてみたところ、中国の研究グループがその7割を占めた。その学会の中国からのポスターは約35％であったことを考えると、中国の研究グループは他国のグループに比べ、貼り逃げをする確率が非常に高いことがわかる。最近、中国が論文数を増やしていることがしばしば取り上げられるが、彼らがこうした手段で数を稼いでいることは割り引いて考える必要がある。

中国勢との競争を考える上で、最大の懸念事項は知的財産権の軽視である。筆者が研究室内で企業との共同研究を学会発表する話をしていたとき、ある中国人学生に「この研究は商品化を考えていないのですか?」と質問されたことがある。私が驚いて「商品化を考えないなら企業は研究しない」と答えると、「学会発表してしまったら、盗まれるじゃないですか」と言われた。私が学会発表の前には特許出願をすると説明したが、中国では特許をとっても誰もそれを尊重しないので、企業は学会発表しないというのが彼から聞いた話であった。

もちろん、学会で中国企業の発表を見かけることはある。しかし、その発表内容は結果を自慢する種のものが多く、その技術的詳細に触れるものはほとんどない。われわれ自由主義国の研究者とは、学会発表の捉え方が全く違うことが分かる。

もし、こうした違いがそのまま放置されると、4・1節で述べた通り自由主義国からは中国に細かな技術情報が全て開示される一方、中国からは自由主義国に技術情報は伝わらないという非対称な関係が続くことになる。そうした状況下では、技術開発において今後中国がさらなる優位を築くことは間違いない。

対中規制を強化する米国

米ソ冷戦では自由主義国が独裁国に勝利したが、そのときは人、モノ、金、情報の往来に制限があった。今、自由主義国と独裁国中国の間では、人、モノ、金が自由に行き交う。そして、情報については自由主義国から中国への一方通行に近い状況である。これでは、独裁国側が圧倒的に有利である。

中国の軍事的脅威が現実的なものになる中、米国はトランプ政権になってこの非対称なゲームのルール是正に乗り出した。２０１８年には、ハイテク分野で学ぶ中国人大学院生へのビザの有効期間を5年から1年に短縮するなど規制強化を行った。

２０20年1月には、中国政府に科学研究成果を移転するための人材採用プログラムにおいて、自らの役割について虚偽の説明を行ったとして、ハーバード大学の化学部長チャールズ・リーバー教授が逮捕された。同教授は、中国政府が国外の優秀な研究者を募集する「千人計画」に関与していたことも分かっている。

「千人計画」について、米国議会上院の小委員会が２０１9年11月に公表した報告書では、米国政府の研究資金と民間部門の技術が中国の軍事力と経済力を強化するために使われていると警鐘を鳴らしている。この「千人計画」には、日本国内にも協力者が多数いることが知られている。

新型コロナ流行を受けて、対中姿勢をさらに硬化させたトランプ政権は、一部の中国人の留学生や研究者のビザの効力を停止する措置をとった。多くの日本人は、この危機的状況においても鈍感なままだが、米中対立が激化している今、自分たちの置かれている立ち位置を考え直してみる必要があるだろう。

4・6 ポストコロナの世界　中国の遠ざけ方

２０２０年５月末に、２・３節で紹介した極左集団アンティファ（Antifa）が暴動を起こした。６月１日、トランプ大統領はアンティファをテロ組織に指定するとツイートした。このアンティファの暴動の裏には、一部に中国の影響力が及んでいるとの報道もある。

新型コロナウイルスの影響で、中国は徐々に孤立を深めつつある。特に、米国政府は中国とのデカップリングを急速に進めている。ＷＨＯからの脱退や、Ｇ７に中国以外の大国を新たに迎え入れようとする動きはそれを象徴する。当然、中国政府はそれに対して巻き返しを図るだろう。そのとき彼らに役立つのが、世界に散らばる親中左翼勢力である。しかし、彼らの味方はそれだけではない。

中国の最大の協力者は新自由主義者である。４・３節で述べた通り、新自由主義者は中国にとって非常に都合の良い存在である。ポストコロナの世界において、中国による悪影響を排除するために最も重要なのは、新自由主義者の動きを封じることである。

日本でも緊急事態宣言解除後、新自由主義者たちは早速中国を利する動きを始めた。彼らの一部が、専門家会議の医師たちは最大42万人が死ぬといって危機を煽り、無駄に自粛を強いて経済にダメージを与えたとして、痛烈な批判を始めたのである。

そもそも、経済への負の影響を問題にするなら、情報を隠蔽するとともに渡航規制に反対して世界中にウイルスをばら撒いた中国政府と、経済への悪影響を理由に国境を早期に封鎖することに反対したグローバリストの新自由主義者にこそ批判が向けられるべきである。国境封鎖を早期に行っていれば、台湾のように国内経済への影響をより小さくすることができたのである。それに反対しておきながら、感染者拡大抑制のために行った自粛による経済への悪影響の責任を医師たちに負わせて誰が得をするかは、言うまでもないだろう。

日本国内に巣食う親中派と新自由主義者たちは、今後時期尚早であっても、海外からの渡航者受け入れ緩和を必ず画策するはずである。中国の感染者は減っているから、もう受け入れができるという主張をしてくるに違いない。しかし、中国政府が発信する情報が全く信頼できないことは、第一波で既に明らかになっている。中国政府の言うことを信じて、また同じ轍を踏むわけにはいかない。

二極化する世界

今後、世界は米国を中心とした法の支配を重んじる自由民主主義陣営と、中国共産党独裁体制に従う国々とで二極化していくと考えられる。ほとんど全ての日本人は法の支配と自由民主社会の維持という価値観を共有しているのであるから、日本は前者に加わるのが当然の成り行きである。

ところが、新自由主義に毒された日本の経営者たちは、これを全く理解していない。そのことは、２０２０年5月24日のＮＨＫ日曜討論で、経団連の中西宏明会長が「中国は非常に大きなマーケットだし、今は良い関係にもあります」と述べたことに象徴される。

オーストラリアのシンクタンクASPI(Australian Strategic Policy Institute)が2020年3月に発行した報告書“Uyghurs for sale ‘Re-education’, forced labour and surveillance beyond Xinjiang”[10]によると、世界の大企業83社がウイグル人を強制労働させている中国企業から調達を行っており、それに日本企業11社（日立、ジャパンディスプレイ、三菱、ミツミ、任天堂、パナソニック、シャープ、ソニー、TDK、東芝、ユニクロ）も含まれると記されている。中西会長が出身の日立製作所は、ウイグル人を強制労働させているKTKグループから部品提供を受けていたとの記載がある。中西会長の言う中国との良い関係とは、このような人権無視の強制労働により、安価に部品が調達できることを指すのだろうか。最近、企業倫理やCSR（企業の社会的責任）が盛んに言われるが、こういう企業に倫理や社会的責任を語る資格はない。

一昔前は、目先の利益より倫理を優先する経営者も存在していた。2011年に浙江省温州で起きた中国高速鉄道衝突脱線事故では、JR東日本のE2系をベースとした車両が事故に巻き込まれた。この車両が購入される際、JR東海は安全の保証ができないとの理由で入札を見送った経緯がある。2010年4月には、JR東海の葛西敬之《かさいよしゆき》会長（当時）が中国高速鉄道の安全性軽視を危惧する発言も行っている[11]。中国への新幹線技術の輸出を、安全上の問題および知財保護の観点から見送った葛西会長の慧眼《けいがん》は称賛に値する。

中国撤退の決断

また、グーグルの共同創業者ラリー・ペイジとセルゲイ・ブリンは有名だが、言論統制に協力するように強力に圧力をかける中国政府に対して、中国撤退の決断（2010年）を後押ししたのはセルゲイ・ブリンであると言われている[12]。彼の両親は、同じく共産党独裁国家であったソ連から自由を求めて米国に渡ったという過去をもつ。そのため、ブリンは言論の自由に対するこだわりが非常に強く、それがグーグルの創業哲学にもなっている。残念ながら、ブリンが去った後のグーグルには、そうした理念は全く感じられない。

企業が外国でビジネスを展開する場合、その国においては違法性のない営利行為でも、先進国の倫理基準をもとに大きな社会的批判を浴びることは過去に多くあった。その典型例が、発展途上国の工場における児童労働である。1997年に発覚したナイキが委託するインドネシアやベトナムなどの東南アジアでの工場の事例は有名である。結果として、先進国の企業は是正措置を余儀なくされた。

これと同じ基準で考えれば、ウイグル人を強制労働させている工場からの調達は、厳しい批判にさらされて然るべきである。にもかかわらず、なぜそれが許されているのか。その理由は、中国の人権侵害を批判する声が十分大きくないからである。そうした声を上げる人権団体が育たない理由の一つに、中国共産党の圧力があることは想像に難くない。

人間の価値判断の基準は、大別すると次の3種類に分けられると私は考えている。

①自分の感情が常に正しい（他人に厳しく自分に甘い）。
②周りの趨勢に従う（事なかれ主義）。
③自分の頭で公平な客観基準を考える（自分が守れない規則を他人に押し付けない）。

中国共産党をはじめとする左翼は①に該当する。今の経営者のほとんどは②である。葛西敬之氏やセルゲイ・ブリンは③に該当する。ほとんどの経営者が②である以上、中国とビジネスをする企業は人権蹂躙に加担する企業だと糾弾する世論を盛り上げていくしかない。

もちろん、今後は米国からの外圧も厳しくなる。そうなれば、東芝機械が対ソ輸出で行ったココム（対共産圏輸出統制委員会）協定違反（1987年）[13]や、ヤマハ発動機の中国への無人ヘリコプター不正輸出事件（2006年）[14]のように、外国為替及び外国貿易法違反の対象として裁かれる中国ビジネスも増えていくだろう。しかし、いつまでも外圧頼みというのは危険である。

その意味で、日本政府が緊急経済対策の一環として、生産拠点が集中する中国から日本への国内回帰や第三国への移転支援のため総額2435億円を2020年度補正予算案に盛り込んだことは高く評価できる。このニュースは、国内ではあまり報じられなかったが、海外では大きく取り上げられ、ネット上で世界中から称賛のコメントが多数寄せられた。

自ら収容所へ入るな

新型コロナウイルスのパンデミックにより、グローバル化の時代は終わったが、価値観を共にする国々との交流は今後も大事である。「価値観外交」という表現が使われ始めて久しいが、現実には目先の金の前にいつも屈していた。政財界に巣食う親中派の多さがそれを物語る。そのしっぺ返しが、新型コロナウイルスである。

ただ、見方を変えると、侵略と強制収容所送りというウイグル人と同じ痛手を負う前に、我々は警告を得られたと言えなくもない。これを生かさないのは、自ら進んで収容所に入るようなものである。私は日本人がそこまで馬鹿だとは信じたくない。チャイナマネーで腐った政財界へ本気で怒りの声をぶつけるのは今をおいてない。

第4章 参考文献

[1] 喬良、王湘穂、坂井臣之助監修、劉琦訳『超限戦 ― 21世紀の新しい戦争』共同通信社（2001）

[2] 養老孟司『バカの壁』新潮新書）（2003）

[3]『欧州の軋轢を利用しマスク外交で肥える中共マスクだけで輸出収入1190億円』大紀元時報2020年4月10日

[4]『グレタさんを支える環境団体、中国政府の代理人の疑い 沖縄「ジュゴン裁判」も担当』大紀元時報2019年9月30日

[5] クライブ・ハミルトン、山岡鉄秀監訳、奥山真司訳『目に見えぬ侵略 中国のオーストラリア支配計画』飛鳥新社（2020）

[6] ジョージ・オーウェル、新庄哲夫訳『1984年』ハヤカワ文庫（1972）

[7] Newt Gingrich"Trump vs. China: Facing America's Greatest Threat,"Center Street（2019）

[8] "60% of Democrats Blame Trump More Than China for Coronavirus,"Rasmussen Reports, 2020年4月20日

[9] 武田邦彦『2015年放射能クライシス』小学館（2011）

[10] [10]Vicky Xiuzhong Xu, Danielle Cave, James Leibold, Kelsey Munro, Nathan Ruser, "Uyghurs for sale 'Re-education', forced labour and surveillance beyond Xinjiang," Australian Strategic Policy Institute（２０２０）

[11] "Japanese rail chief hits at Beijing," Financial Times, ２０１０年４月６日

[12] Richard L. Brandt, "The Google Guys: Inside the Brilliant Minds of Google Founders Larry Page and Sergey Brin," Portfolio（２０１１）

[13] 熊谷独『モスクワよ、さらば―ココム違反事件の背景』文藝春秋（１９８８）

[14] 鳥羽至英『ヤマハ発動機無人ヘリ不正輸出事件（内部統制の理論と制度）」国元書房（２００９）

おわりに

これを書いている2020年12月中旬時点では、米国大統領選挙はバイデン大統領選出が確実な状況であるが、トランプはまだ負けを認めていない。一部にはトランプ大統領が戒厳令を発動するという噂も立っているが、そうなれば左翼は黙っていない。米国は内戦状態になるだろう。

一方、このままバイデン大統領が誕生すれば、日本にとっては大きな試練になる。米国の民主党政権は、中国に対して非常に甘い。米国が軍を動かさない保証があれば、中国は確実に軍を動かすだろう。米民主党政権はその保証をしかねない。実際、オバマ政権下で南シナ海が中国の手に落ちたのはそれが理由である。それと同じことが台湾や尖閣で起きても不思議はない。

米国の対中強硬政策が緩和されることを見越して、日本の親中派も勢いづいている。中国を含む自由貿易協定RCEPへの加入や中国とのビジネスを目的とした往来の再開がそれを象徴している。春節に来日した中国人旅行者に新型コロナウイルスを持ち込まれて、感染者が再度急増している中、往来を再開するとは非常識極まりない。

そもそも、中国におけるウイルスの発生源は現時点でも全く分かっていない。何よりも中国に求めるべきは、国際的科学調査の受け入れによるウイルスの起源解明である。不透明さを許したまま中国と付き合い続ければ、また同じ被害に遭《あ》う。

現在の自公連立政権では、親中派があまりにも力を持ちすぎている。これ以上日本が中国への傾倒を続ければ、将来的に日本は満州、チベット、ウイグル、内モンゴル、そして香港と同じ道を歩むことになりかねない。危機感をもって行動を始めないと、取り返しのつかないことになる。

今、日本に必要なのは「中国共産党から国民を守る党」ではないか。公明党や自民党の親中派候補の選挙区に、「中国共産党から国民を守る党」の名前で候補者を立てれば、当選することはできないだろうが、その選挙区の保守層の票を親中派議員から削ることはできる。同選挙区の野党候補を当選させて、親中派議員を落選させることに成功する可能性はゼロではない。さらに、比例重複立候補をすれば、各ブロックで1議席ずつぐらいは獲得できる可能性もある。

親中派の与党議員を何人か落選させて、政権における親中派の影響力を削《そ》ぐことができれば、日本の対中外交を強硬路線に変えることも不可能ではない。具体的には、次に挙げる政策の実現が望まれる。「中国共産党から国民を守る党」はこれらを公約に掲げればよい。

何よりも、中国の侵略を防ぐための防衛費大幅増額は最優先課題である。それと並んで優先すべきは、安倍政権が行った中国からの生産拠点移転への補助金拡充である。同制度に対しては、２２００億円の予算に対し、１６７０件の総額1兆７６４０億円の応募があった。援助さえあれば中国から脱出したい企業がそれだけ多いのである。補助金を拡充して、希望する全ての企業が脱中国できるように後押しする必要がある。それによって国内に生産拠点が戻れば、コロナで失われた三次産業の雇用を二次産業で吸収できる。

生産拠点の中国からの移転に合わせて必要なのは、対中国の関税引き上げである。中国製品と価格競争で勝てなければ、生産拠点を移転することはできない。これを明確な理由なく行えばWTO協定違反になるので、WHOと共謀して情報を隠蔽し、新型コロナウイルスを日本へ流入させたことへの安全保障上の制裁措置として実施すればよい。

人権保護の観点から、中国国内や香港で弾圧されている政治難民を積極的に受け入れるのも効果的である。これを宣言すれば中国政府は激怒するだろうが、それによって中国という非道な独裁国家と縁を切る大義名分が立つ。もちろん、政治的に弾圧されている人々を救済すること自体に大きな意義があることは言うまでもない。

ここで大事なのは、中国共産党と一般の中国人をはっきり分けて考えることである。対中強硬派の米国共和党の政治家たちも、この区別は盛んに強調する。この線引きを明確にしておかないと、左翼陣営から差別と攻撃する隙を与えることになる。孔子学院のような中国共産党の諜報機関は、米国に倣って閉鎖する方向で動くべきだが、中国人留学生を完全にシャットアウトするのはやり過ぎである。安全保障に関わる技術に触らせないなどの制限は当然必要であるが、それ以外の分野での受け入れ拒否は大義名分が立たない。

もちろん、中国の国防動員法には警戒が必要である。中国からの留学生の数を絞《しぼ》る方法として、共産党独裁国家からの留学生に対しては、「民主主義」と題する講義の受講を必修にすることが考えられる。そこで共産主義の負の歴史を教え、それを修めないと正規の課程に入学できないようにすればよい。民主主義を守るために必要だと主張すれば大義名分は立つ。こういう措置をとれば、中国共産党側が留学生を日本に出すのを躊躇《ちゅうちょ》するようになるだろう。

中国共産党はこれまで非常にしたたかだった。しかし、最近はやることが雑になっている。趙立堅報道官がオーストラリア兵士の残虐行為のフェイク写真をツイッターに投稿したことはそれを象徴する。内部に批判者がいないので、傲慢さに歯止めが効かなくなるという独裁国家の弱点が現れ始めているようだ。

中国人民大学国際関係学院の翟東昇教授は、2020年11月28日のオンライン講演で、米国中枢で中国のために働くエージェントの存在を堂々と漏らした。1970年代から中国はウォール街を通じて米国の政治を制御してきたが、トランプ大統領になって工作が効かなくなったと彼は語った。さらに、バイデン大統領になったら元通りになるのでもう安心とも述べた。米国ではクリスティーン・ファンという名の中国人女スパイが、市長や下院議員など多数の政治家（民主党）にハニー・トラップをかけていたことも明らかになっている。

こうした中国の正体が明らかになるにつれ、米国での反中感情は急激に高まっている。日本もこれに続くことができるはずだ。日本のエリートは風見鶏《かざみどり》である。「反中は世界の流れ」であることを悟《さと》らせれば、簡単に態度を変えるだろう。ただし、それには国民の声の後押しが不可欠である。

中国共産党による全体主義の波は目の前に迫っている。今行動を始めなければ、日本はこのまま全体主義体制に呑み込まれてしまうだろう。

本書を企画いただいた集広舎の川端幸夫さんと本書の編集にあたられた本山貴春さん

に厚く御礼申し上げる。これまでも、各所で書いてきたものを書籍化して欲しいという要望は多く寄せられていた。それをタイムリーに実現する機会をいただいたのは幸運であった。

本書の内容の多くは、大紀元のコラムとして最初に発表したものである。その機会を与えていただいた大紀元の佐渡道代さんにもこの場を借りて御礼申し上げたい。同様に、本書の内容の初出原稿を依頼いただいた雑誌正論元編集長の菅原慎太郎さんと、元産経デジタルの本江希望さんにも感謝申し上げたい。

大紀元のコラム執筆を依頼いただいたきっかけはツイッターであった。ツイッターで常日頃コメントを寄せていただいているフォロワーの皆様にもここで感謝申し上げたい。

本書で紹介している自然言語処理を用いた解析は、研究室の学生たちの手によるものである。それに携わった研究室の学生たち、卒業生たち、データの整理に協力いただいた秘書の皆様にも感謝申し上げる。

最後に、普段私の原稿に率直なコメントを寄せてくれる家族にもお礼を言いたい。

初出一覧

1.1節 『なぜ人は共産主義に騙され続けるのか』大紀元2019年8月20日
1.2節 『左翼のプロパガンダ戦略とは?』大紀元2019年9月9日
1.3節 『ビッグデータが暴く自称リベラルの正体』大紀元2019年9月25日
1.4節 『左翼エリートの選民思想(前編)』大紀元2019年11月21日
1.5節 『左翼エリートの選民思想(後編)』大紀元2019年12月4日
1.6節 『左翼を論破する方法(前編)』大紀元2019年10月9日
1.7節 『左翼を論破する方法(後編)』大紀元2019年10月23日
1.8節 『プロパガンダに乗せられない人間になるために』大紀元2019年11月6日
2.1節 『大学政治偏向ランキング』雑誌正論平成30年6月号 pp.178-189
2.2節 『文系学問「偏向」ランキング』雑誌正論平成30年8月号 pp.234-243
2.3節 『日本人が知らない北米左翼の恐ろしさ』大紀元2019年8月26日
3.1節 『左翼が宗教も科学も尊重しない理由』大紀元2019年12月18日
3.2節 『理解できないものの存在意義』大紀元2020年1月13日

3・3節　『「世界に一つだけの花」の後遺症』大紀元2020年3月1日
3・4節　『東日本大震災から9年　「3・11」の教訓』大紀元2020年3月11日
3・5節　『ちびまる子ちゃんやドラえもんにみる　家庭教育という社会資本』
大紀元2020年3月27日
3・6節　『自分勝手な左翼・自集団勝手な右翼』大紀元2020年5月13日
4・1節　『左翼の敵は「自然」である』大紀元2020年2月10日
4・2節　『新型コロナウイルス問題　中国共産党との戦い方』大紀元2020年4月14日
4・3節　『新型コロナ問題を拡大させた左翼と新自由主義の共存共栄』
大紀元2020年4月28日
4・4節　『新型コロナ第一波を総括する』大紀元2020年5月25日
4・5節　『日本の研究力低下、このまま中国に後れをとってもよいのか』
iRONNA2019年10月11日
4・6節　『ポストコロナの世界　中国の遠ざけ方』大紀元2020年6月9日

書籍化にあたり、改訂、加筆した箇所があります。

掛谷英紀（かけや・ひでさ）

筑波大システム情報系准教授。昭和 45 年、大阪府生まれ。東大大学院工学系研究科先端学際工学専攻博士課程修了。通信総合研究所（現情報通信研究機構）研究員を経て現職。専門はメディア工学。著書に『学問とは何か』（大学教育出版）、『学者のウソ』（ソフトバンク クリエイティブ）など 。近著に『「先見力」の授業』（かんき出版）。

twitter.com/hkakeya

人類の敵 共産主義勢力から自由を守る方法

令和 3 年（2021 年）2 月 15 日　初版第 1 刷発行
著　者　掛谷英紀
発行者　川端幸夫
発行所　集広舎
〒 812-0035 福岡市博多区中呉服町 5-23
TEL:092-271-3767　FAX: 092-272-2946
https://shukousha.com

制作・装丁　独立社パブリック・リレージョンズ
印刷・製本　モリモト印刷株式会社
ISBN978-4-86735-002-7 C0031

集広舎の本

ボトム・オブ・ジャパン——日本のどん底 鈴木傾城・著（一四〇〇円＋税）

コロナショックで世界は地獄と化した。「普通の生活」は簡単に崩れ去る。落ちないはずだったところに落ちていく。この恐怖、覗く勇気ありますか？　あなたも他人事ではない。

ナクツァン——あるチベット人少年の真実の物語 ナクツァン・ヌロ・著／棚瀬慈郎・訳（二七〇〇円＋税）

激動のチベットを生き抜いた少年の、これは喜びと悲しみに満ちた真実の物語である。

一歩も退かんど——聞き書き鹿児島志布志冤罪事件 川畑幸夫・語り／鶴丸哲雄・著（一五〇〇円＋税）

県議選をめぐって13人が無実の買収容疑で起訴され、「踏み字」や「たたき割り」と呼ばれる違法な取り調べにより、でっちあげられた事件。その本質は、警察・検察が一体となった権力による犯罪であった。取り調べの一部可視化を義務づける契機ともなった事件の、被害者の闘争の記録。

中国生業図譜――清末の絵入雑誌『点石斎画報』で読む庶民の〝なりわい〟

相田洋・著（三五〇〇円＋税）

偽薬売り、虫歯の虫取り、人買い、墓ドロボウ…。衣・食・金融・医療・衛生・交通運輸・職業婦人・教育・娯楽など四千年の歴史が生んだ常民生業《なりわい》大絵巻！　立花隆氏が情報量の多さに驚いた『中国妖怪・鬼神図譜』（三刷・価格三五〇〇円）の著者による待望の続編。

ウイグル人

トルグン・アルマス・著（四五四五円＋税）

ひとりのウイグル人が自らの言語で著し、命を賭して世に送り出した伝説の歴史書がついに日本語訳で登場。

チベットの主張――チベットが中国の一部という歴史的根拠はない

チベット亡命政権・編著／亀田浩史・訳／ダライ・ラマ法王日本代表部事務所・監修（一八一八円＋税）

終わりの見えない中国・チベット問題。その始まりと現状、そして将来……結局、チベットはどうしたいのか？　ダライ・ラマが提唱する『中道のアプローチ』とは？　チベット問題の全てがこの一冊に!!